JOHN MACARTHUR

ESSÊNCIA

Descubra como adorar a Deus

daVerdadeira

de todo coração

Adoração

Este livro foi primeiramente publicado nos Estados Unidos por Moody Publishers. 820 N LaSalte Blvd., Chicago. IL 60610 sob o título *Worship, the Ultimate Priority*, © 1983, 2012 de John MacArthur. Traduzido sob permissão.
Edição portuguesa © 2014 por Editora Hagnos Ltda.
Todos os direitos reservados.

1ª edição: setembro de 2018
1ª reimpressão: maio de 2022

TRADUÇÃO
Onofre Muniz

REVISÃO
Andrea Filatro (copidesque)
Josemar de Souza Pinto (provas)

CAPA
Rafael Brum

DIAGRAMAÇÃO
Sonia Peticov

Gerente editorial
Aldo Menezes

COORDENADOR DE PRODUÇÃO
Mauro Terrengui

IMPRESSÃO E ACABAMENTO
Imprensa da Fé

As opiniões, as interpretações e os conceitos emitidos nesta obra são de responsabilidade do autor e não refletem necessariamente o ponto de vista da Hagnos.

Todos os direitos reservados para:
EDITORA HAGNOS LTDA.

Av. Jacinto Júlio, 27
04815-160 - São Paulo, SP
Tel (11)5668-5668
E-mail: hagnos@hagnos.com.br
Home-page: www.hagnos.com.br

Editora associada à:

Dados Internacionais de Catalogação na Publicação (CIP)
Angélica Ilacqua CRB-8/7057

MacArthur, John

A essência da verdadeira adoração: descubra como adorar a Deus de todo coração / John MacArthur; traduzido por Onofre Muniz. — São Paulo: Hagnos, 2018.

Título original: Worship: The Ultimate Priority.

ISBN 978-85-243-0554-2

1. Adoração (Religião) 2. Deus - adoração 3. Louvor a Deus I. Título II. Muniz, Onofre

18–0882   CDD–248.3

Índices para catálogo sistemático:
1. Adoração   248.3

SUMÁRIO

Prefácio à edição de 2012 5

Prefácio à edição de 1983 7

1. Do que o mundo precisa agora 11
2. Como devemos então adorar? 25
3. A adoração é um estilo de vida 42
4. Salvos para adorar 52
5. Deus: Ele existe? Quem Ele é? 65
6. O Deus imutável e onipotente... 78
7. O Deus que está em toda parte – e conhece todas as coisas 90
8. Santo, Santo, Santo.. 104
9. Surge uma nova era 120
10. Este deve ser o lugar... 132
11. Adoração ao Pai 141
12. Adoração em espírito e em verdade..................................... 148
13. Glória a Deus nas alturas 160
14. Como glorificar a Deus 170
15. Como a adoração deveria ser 180

APÊNDICE: *Com o coração, a mente e a voz*................................... 192

À memória de Dale e Lorraine Smith,
com gratidão por eles terem entregado
sua vida ao Salvador e sua filha a mim.

PREFÁCIO À EDIÇÃO DE 2012

De todos os livros que escrevi ao longo dos anos, este detém o recorde de ser continuamente reimpresso mais que qualquer outro título meu. Desde que a Moody o publicou pela primeira vez em 1983, ele foi reimpresso, não revisado, com arte original da capa, durante quase trinta anos. Exceto por dois capítulos adicionais, um novo prefácio e refinamentos editoriais de menor importância, até mesmo esta edição aumentada permanece inalterada em relação ao original. Não mudei minha posição, nem alteraria substancialmente o que escrevi se estivesse redigindo este livro hoje pela primeira vez.

PREFÁCIO À EDIÇÃO DE 1983

O salmista afirma a prioridade suprema da humanidade com um sincero apelo à adoração ao nosso Criador: *Tributai ao Senhor a glória devida ao seu nome; adorai o Senhor na beleza da santidade* (Salmos 29:2). Essa é a nossa suprema obrigação agora e por toda a eternidade – honrar, adorar, deleitar-nos em Deus e glorificá-lo acima de toda a sua criação, porque ele é digno de ser adorado.

Meu coração tem sido incessantemente perseguido pelo leão da adoração ao longo dos anos em que manuseio as páginas das Escrituras. Minha mente tem sido repetidamente capturada pela tremenda majestade daquele a quem adoramos; pela glória inefável da sua santidade perfeita e pela realidade patética de quão repetidamente deixamos de dar-lhe a honra que ele merece.

Sei que a história da redenção percorre uma trilha muito estreita que um dia se alargará no que Isaías chama de *caminho santo*. Lá *os resgatados do Senhor* adorarão para sempre com *júbilo* e terão *alegria eterna sobre a cabeça* (Isaías 35:8-10). Anelo por esse dia e quero ter o gosto dele agora mesmo. Esse deveria ser o desejo do coração de todo crente. Na realidade, a quem e como você adora agora refletem a esperança do seu destino eterno.

No meu ministério, desejo sempre conduzir pessoas a um encontro pessoal com a majestade do nosso Deus vivo e santo. Mas, durante anos, fiquei muito aquém da plena compreensão do que era adoração e de como devia ela ser realizada. Em razão da frustração pessoal com meus fracassos em adorar e a uma profunda e crescente preocupação com uma igreja contemporânea que parecia saber tão pouco quanto eu sobre a verdadeira adoração, procurei uma melhor compreensão da mensagem da Bíblia sobre o assunto. Uma das primeiras coisas que descobri é que a autêntica adoração não é uma atividade parcamente definida e relegada ao culto matinal de domingo – ou restrita a um único tempo e lugar. Adoração é qualquer expressão essencial de culto prestado a Deus por uma alma que o ama e o exalta por quem ele é. A verdadeira adoração, consequentemente, deve ser a atividade constante, sem interrupção, de cada crente, com o objetivo de agradar a *Deus*, não meramente de entreter o adorador.

Em janeiro de 1982, enquanto eu pregava sobre João 4, dei-me conta de que devia estar perseguindo o leão à espreita, em vez do contrário. Foi um momento crítico em meu ministério e na vida de nossa igreja. Uma nova consciência de que uma adoração incessante deveria ser a mais alta prioridade do cristão revolucionou e revigorou nosso povo.

Desejo ver estas verdades espalhadas entre os cristãos evangélicos no mundo todo. Uma compreensão sólida e bíblica da verdadeira adoração seria o antídoto perfeito para a mentalidade pragmática, programática e obcecada pela prosperidade que tantas igrejas evangélicas cultivam agora. Ao se esforçar tanto para atender às necessidades humanas, satisfazer desejos humanos, manipular emoções e massagear egos, a igreja parece, de certa forma, ter perdido a visão do que se supõe ser a adoração. A igreja típica hoje está na verdade praticando um tipo de religião populista que se resume no amor-próprio, na autoestima, na autorrealização e no egoísmo. Todas essas coisas direcionam as pessoas no rumo exatamente oposto à verdadeira adoração.

Mas parece haver pouca preocupação em adorar nosso Deus glorioso de acordo com as condições divinas. Num lado do espectro, "adoração" parece significar pouco mais que alguma rígida liturgia rotineira e asfixiante num cenário com janelas de vidraças coloridas, música de órgão – talvez até incenso e vestes sacerdotais. No outro extremo, "adoração" tem a intenção de ser tão casual e descontraída quanto possível, refletindo uma confortável familiaridade com Deus, incompatível com sua majestade transcendente. Este tipo de "adoração" parece ter por principal

PREFÁCIO À EDIÇÃO DE 1983

objetivo deixar os pecadores confortáveis com a ideia de Deus – livrando de nossos pensamentos qualquer coisa como medo, tremor, reverência ou verdade bíblica profunda.

Na mente de muitos evangélicos de hoje, a palavra *adoração* significa a parte musical da ordem do culto, em contraste com o sermão ou o ofertório. O músico principal é chamado de "líder da adoração", distinto do pastor (cujo papel aparentemente é visto como algo diferente de conduzir as pessoas na adoração).

A música é, claro, um meio maravilhoso de adoração. Mas a verdadeira adoração é mais que apenas música, e música – até mesmo a música cristã – não é necessariamente adoração autêntica. A música pode ser um instrumento para a expressão da adoração, mas existem outras disciplinas espirituais que se aproximam mais da essência da pura adoração – atividades como orar, ofertar, dar ação de graças e ouvir a Palavra de Deus quando ela é proclamada e exposta. É significativo que Jesus tenha falado sobre a *verdade*, não sobre a música, como a marca distintiva da verdadeira adoração (João 4:23,24).

No entanto, muitas pessoas não sentem que adoraram até serem varridas por um estado de transe e paixão nebulosa, normalmente envolvidas em uma série de cânticos. É por isso que tantos cânticos escritos para serem entoados em conjunto são longos e repetitivos – e são deliberadamente cantados em certa ordem para que o ritmo, a batida e o volume construam um clímax impressionante.

Muitos pensam que esse comovente crescendo da alma é a essência exata da adoração. O sentimento associado a tal elevação emocional é às vezes considerado até mais importante que aquilo que estamos cantando. A verdade contida na verdade da letra fica no banco de trás do drama da apresentação. Conheço uma igreja que inicia cada culto com uma banda de *rock* tocando músicas seculares no volume máximo. Eles insistem em que a prática se qualifica como adoração legítima porque carrega a atmosfera com alta emoção, muito mais que o fazem os hinos clássicos.

Em muitas igrejas, cada aspecto da reunião foi, da mesma forma, redesenhado para satisfazer as preferências das pessoas de fora. O objetivo é atraí-las, entretê-las, impressioná-las e fazê-las sentir-se bem consigo mesmas. É o extremo oposto da autêntica adoração. Se o líder da adoração e a tela multimídia não usassem constantemente a palavra *adoração*, pouco haveria para indicar o que estamos fazendo.

O declínio da verdadeira adoração nas igrejas evangélicas é um sinal preocupante. Reflete uma depreciação de Deus e uma pecaminosa apatia para com sua verdade entre o povo de Deus. Os evangélicos vêm desempenhando um tipo de busca de cultura popular banal durante décadas e, como resultado, o movimento evangélico tem de tudo, exceto a consideração da glória e da grandeza daquele a quem adoramos.

Talvez ainda mais preocupante, o deplorável estado da adoração nas igrejas evangélicas revela a ausência da verdadeira reverência e devoção na vida particular de inúmeros membros da igreja. A adoração em conjunto, afinal, deveria ser o transbordamento natural de vidas de adoração unidas em comunhão.

Este livro é, portanto, um apelo à adoração pessoal ao Deus triplamente santo. É o chamado a um tipo radicalmente diferente de alimento para o crente: para um estilo de vida que busque adorar a Deus continuamente – e não apenas aos domingos. O apelo é novo no sentido de que em geral os cristãos do nosso tempo perderam a ênfase em Deus. O apelo é antigo no sentido de que apresenta novamente o convite do salmista:

> Ó, vinde, adoremos e prostremo-nos; ajoelhemos diante do Senhor, que nos criou. Porque ele é nosso Deus, e nós somos o povo que ele pastoreia, o rebanho que ele conduz. (Salmos 95:6,7)

Meu desejo é que a leitura deste livro ajude você a encontrar novamente nosso Deus em toda a sua glória. Uma resposta obediente o transformará num verdadeiro adorador que deseje em tempo integral realizar a prioridade suprema.

Comprometa-se a aprender piedosamente comigo e, como eu, experimente a verdade transformadora a respeito da adoração.

CAPÍTULO UM

DO QUE O MUNDO PRECISA AGORA

Em 1977, Maria Rubio, de Lake Arthur, Novo México, estava preparando uma tortilha quando notou que as marcas da frigideira numa das suas tortilhas se pareciam com a face de Jesus. Agitada, ela a mostrou ao marido e vizinhos, e todos concordaram que havia uma face gravada na tortilha e que realmente havia uma semelhança com as icônicas imagens católicas romanas de Jesus.

Então ela foi ao sacerdote para que a tortilha fosse abençoada. Ela testemunhou que a tortilha havia mudado sua vida, e o senhor Rubio concordou que ela se tornara uma esposa mais pacificadora, feliz e submissa desde que a tortilha aparecera. O padre, nem um pouco acostumado a abençoar tortilhas, mostrou-se um tanto relutante, mas por fim concordou em dar a bênção.

A senhora Rubio levou a tortilha para casa, colocou-a numa caixa emoldurada e a envolveu em flocos de algodão para que parecesse estar flutuando em nuvens. O senhor Rubio construiu um altar especial para instalá-la. Eles organizaram tudo num barraco de madeira no quintal e abriram o pequeno santuário aos visitantes. Em poucos meses, mais de 8 mil pessoas tinham ido ao Santuário do Jesus da Tortilha, e todos concordaram que a face nas marcas queimadas na tortilha era o rosto de Jesus – com exceção de um repórter que disse achar que parecia Leon Spinks, o campeão mundial de boxe na categoria peso-pesado da época. (Spinks era notoriamente pouco atraente por estar perdendo a maioria dos dentes da frente.)

Em dois anos, mais de 35 mil pessoas haviam visitado o santuário. Durante trinta e oito anos, peregrinos continuaram buscando a Tortilha Santa. Com o tempo, as marcas queimadas desbotaram, e a imagem se tornou indistinguível, mas as pessoas ainda queriam adorar no santuário.

Então, em 2005, a neta da senhora Rubio levou a tortilha à escola para mostrar aos colegas. Alguém acidentalmente a deixou cair no chão, e o objeto se espatifou. A senhora Rubio recuperou os fragmentos da tortilha despedaçada flutuando sobre as nuvens de algodão, porém ninguém parecia mais interessado, e a família Rubio finalmente fechou o santuário em decadência.

Lembro-me de quando li pela primeira vez sobre o aparecimento da tortilha. Pareceu-me um tipo de retorno à superstição medieval. Nos anos seguintes, eu me acostumei a ouvir histórias semelhantes. As pessoas têm alegado ver imagens de Jesus na cobertura de uma *pizza*, nas marcas queimadas de um pedaço de torrada, em manchas de óleo no chão de uma garagem, na nódoa marrom de uma banana, nas formações dos anéis no interior da madeira, num biscoito disforme, no acúmulo enferrujado próximo a uma banheira com goteiras, nas marcas de queimadura em um queijo grelhado, em manchas de água em uma parede, em inúmeras outras tortilhas e em muitos outros lugares inusitados e estranhos para enumerar. Histórias assim surgem na *internet* pelo menos uma vez por mês. Invariavelmente, as pessoas afluem para ver e adorar as aparições.

Parece incrível que tantas pessoas tratem tortilhas queimadas, biscoitos disformes e manchas de ferrugem como objetos de veneração. Mas a triste verdade é que um conceito tão distorcido de adoração é realmente mais fácil de encontrar hoje em dia que a adoração autêntica baseada em princípios bíblicos sadios. Tragicamente, embora a Bíblia seja clara a respeito de como, a quem e quando devemos adorar, pouca adoração genuína acontece na maior parte do mundo hoje.

Tenho pensado com frequência que a adoração deve ser uma das doutrinas mais incompreendidas de toda a Escritura. Isso é espiritualmente debilitante, porque a adoração está no centro de tudo o que a Bíblia nos ordena. Em outras palavras, se você não é um verdadeiro adorador, tudo mais em sua vida estará espiritualmente fora de sincronia. De modo oposto, nada acelerará mais seu crescimento espiritual e sua santificação do que obter uma compreensão correta da verdadeira adoração.

A ADORAÇÃO NA BÍBLIA

O tema da adoração domina a Bíblia. Em Gênesis, descobrimos que a Queda ocorreu quando Adão falhou em adorar pela obediência à única ordem dada por Deus. Em Apocalipse, aprendemos que toda a história culmina numa comunidade eterna adorando na presença de um Deus amoroso. Desde o início em Gênesis até a consumação em Apocalipse, a doutrina da adoração está entrelaçada na urdidura e na trama do texto bíblico.

Jesus citou Deuteronômio 6:4,5 e o chamou de o maior mandamento:

> Ouve, Israel, o Senhor nosso Deus é o único Senhor. Amarás o Senhor, teu Deus, de todo o coração, de toda a alma, de todo o entendimento e de todas as forças. (Marcos 12:29,30)

Esse é um chamado à adoração e, por sua identificação como o principal de todos os mandamentos de Deus, Jesus estava confirmando enfaticamente a adoração como a suprema prioridade universal.

Êxodo 20 registra a consagração dos Dez Mandamentos. O primeiro dos mandamentos exige e regula a adoração:

> Eu sou o Senhor teu Deus, que te tirou da terra do Egito, da casa da escravidão. Não terás outros deuses além de mim. Não farás para ti imagem esculpida, nem figura alguma do que há em cima no céu, embaixo na terra, ou nas águas debaixo da terra. Não te curvarás diante deles, nem as cultuarás, pois eu, o Senhor teu Deus, sou Deus zeloso. (v. 2-5)

No Antigo Testamento, a adoração abrangia a vida inteira; devia ser uma preocupação contínua para o povo de Deus. Por exemplo, o tabernáculo foi projetado para enfatizar a prioridade da adoração. A descrição de seus detalhes exige 7 capítulos – 243 versículos – do livro de Levítico. Em comparação, apenas 31 versículos são dedicados à criação do mundo.

O tabernáculo foi projetado *exclusivamente* para a adoração. Era o lugar onde Deus se encontrava com seu povo. Usá-lo para qualquer outra coisa que não fosse adoração era considerado a mais rude blasfêmia. No tabernáculo não havia assentos. Os israelitas não iam até lá para se sentarem e receberem ministração e, certamente, não iam até lá com o objetivo de se entreterem. Eles iam ao tabernáculo para adorar a Deus e servir-lhe. Se precisassem se reunir para qualquer outro propósito, eles o faziam em outra parte.

A organização do acampamento sugere que a adoração era central a toda outra atividade. O tabernáculo se situava no centro do acampamento. Imediatamente a ele ficavam os sacerdotes que lideravam a adoração. Um pouco mais distante do tabernáculo se posicionavam os levitas, que estavam envolvidos no culto. Mais longe ficavam dispostas as várias tribos, cada uma delas de frente para o centro, o lugar da adoração.

Toda atividade política, social e religiosa em Israel girava em torno da lei. Fundamental para a lei era a lista de ofertas cerimoniais descritas em Levítico 1–7, as quais eram todas atos de adoração. A primeira oferta da lista é o holocausto, exclusivo porque era completamente consumido – oferecido totalmente a Deus. Nenhuma parte era compartilhada nem pelos sacerdotes, nem pelo ofertante, como ocorria com outras oferendas.

Assim, a oferta queimada era a ilustração mais significativa da adoração. De fato, o altar no qual se faziam todas as ofertas era conhecido como o altar da oferta queimada. Sempre que se faz referência às ofertas na Escritura, a oferta queimada aparece no topo da lista, porque, quando alguém vai a Deus, deve em primeiro lugar ir num ato de adoração, em que tudo é consagrado ao Senhor. É assim que a lei de Deus reforçou de maneira clara a adoração como a prioridade suprema na vida de Israel.

A lei de Moisés explicitou como os procedimentos usados nos atos de adoração tinham de ser seguidos. Por exemplo, Êxodo 30:34-36 dá uma prescrição para o incenso. O incenso é símbolo da adoração nas Escrituras, porque sua fragrância sobe no ar assim como a verdadeira adoração sobe até Deus. Os versículos 37,38 soam como advertência sobre o incenso:

Não fareis para vós mesmos nenhum incenso da mesma composição para vosso uso particular; considerai-o santo para o SENHOR. Quem fizer algum como este, para sentir o seu aroma, será eliminado do seu povo.

Na realidade, Deus estava dizendo: "Aqui está uma receita para um perfume especial e emblemático da adoração. Este perfume deve ser único e santo. Se alguém se atrever a preparar este perfume para si, apenas para ter um cheiro melhor, eu o matarei".

Existe claramente algo tão singular e tão santo sobre a adoração que ela é completamente separada de qualquer outra coisa na dimensão humana. Ninguém pode tirar de Deus o que ele desenvolveu para a sua glória!

Mas esse incenso simboliza algo muito mais significativo que qualquer composto de ingredientes inertes: você e eu. Nossa vida dever ser como esse perfume – santo, aceitável, aromático – subindo a Deus como aroma agradável (v. Romanos 12:1 e 2Coríntios 2:15). Quem usa sua vida para qualquer propósito que não a adoração – independentemente de quão nobre possa ser esse propósito – é culpado de sério pecado. É o mesmo pecado de um israelita que usou de forma inadequada o incenso santo – um pecado tão sério que, sob a lei, era punido com a morte.

QUANDO ADORAR É ERRADO

Repetidas vezes, Deus julgou aqueles que falharam em adorá-lo corretamente. Quando o povo de Israel fez e adorou um bezerro de ouro, Deus misericordiosamente amenizou sua justa reação, que teria sido a completa destruição da nação. Em vez disso, ele matou apenas três mil israelitas (Êxodo 32:7-28). Esse ato de julgamento permanece oferecendo uma vívida ilustração de como Deus se sente a respeito da falsa adoração.

O capítulo 10 de Levítico descreve a ordenação para o sacerdócio de Nadabe e Abiú, filhos de Arão, o sumo sacerdote. Eles haviam aguardado todos os anos de infância e juventude para se tornarem sacerdotes, tendo sido cuidados, preparados e treinados para o sacerdócio. Agora eles deveriam ser ordenados.

Mas, na primeira função real como sacerdotes, eles ofereceram "fogo estranho". A natureza exata da infração não é especificada. A expressão hebraica fala sobre "fogo não permitido". Talvez eles tenham oferecido um tipo estranho de incenso (Êxodo 30:9). Talvez eles tenham feito a oferta após terem bebido vinho (cf. Levítico 10:8,9). Seja como for, eles não seguiram o que estava prescrito para os sacerdotes na condução do povo em adoração. Eles agiram independentemente da revelação de Deus no que se referia à adoração correta, e Deus instantaneamente matou os dois.

Foi um dia triste. Depois de ficar a vida toda na expectativa de que eles conduziriam as pessoas em adoração, perderam tudo com um movimento em falso no primeiro dia. Eles eram jovens, animados, cheios de entusiasmo – talvez até com zelo bem-intencionado. Mas desobedeceram e foram fulminados imediatamente.

O rei Saul foi culpado de um pecado semelhante. Lemos em 1Samuel 13:8-14:

> Então ele esperou sete dias, de acordo com o que Samuel havia determinado; mas quando viu que Samuel não chegava a Gilgal, o exército deixou Saul e se dispersou.
>
> Então Saul disse: Trazei-me aqui um holocausto e ofertas pacíficas. E ele ofereceu o holocausto.
>
> Mal havia acabado de oferecer o holocausto, Samuel chegou; e Saul foi até ele e o cumprimentou.
>
> Então Samuel perguntou: Que fizeste? Saul respondeu: Vi que o exército estava me abandonando e se dispersando, e que tu não chegavas no tempo determinado, e que os filisteus já estavam reunidos em Micmás, então eu disse: Agora os filisteus me atacarão em Gilgal, e eu ainda não busquei o favor do Senhor. Assim me senti pressionado e ofereci o holocausto.

Então Samuel disse a Saul: Agiste loucamente; não obedeceste ao mandamento que o SENHOR, teu Deus, te ordenou. O SENHOR teria confirmado o teu reino sobre Israel para sempre; porém agora o teu reino não subsistirá; o SENHOR já encontrou para si um homem segundo o seu coração e já o destinou para ser príncipe sobre o seu povo, porque não obedeceste ao que o SENHOR te ordenou.

Saul decidiu usurpar a função de sacerdote. Ele divergiu do método prescrito por Deus para a adoração, e isso custou o trono para ele e seus descendentes.

Um dos mais significativos relatos do Antigo Testamento é a história de como Uzá perdeu a vida. Ao que tudo indica, Uzá era um coatita. Os coatitas tinham a tarefa de transportar a arca da aliança. Um dos princípios básicos que eles aprenderam foi o de nunca tocar na arca. A arca devia ser carregada por varas colocadas entre argolas, e os coatitas a transportavam nos ombros segundo a forma explicitamente prescrita em Números 4:5,6. O versículo 15 diz que a arca precisava ser coberta cuidadosamente, *mas não tocarão nas coisas sagradas, para que não morram.*

Esse era o método de *Deus.* Em 2Samuel 6:3,6,7 vemos a descrição do método de Uzá:

> Puseram a arca de Deus em um carro novo e a levaram da casa de Abinadabe, que estava sobre a colina. Uzá e Aiô, filhos de Abinadabe, conduziam o carro novo. [...] Quando chegaram à eira de Nacom, Uzá estendeu a mão e segurou a arca de Deus, pois os bois haviam tropeçado. Então a ira do SENHOR se acendeu contra Uzá, e Deus o feriu por seu erro; e Uzá morreu ali junto à arca de Deus.

Uzá, em desobediência ao método divinamente ordenado, permitiu que a arca fosse transportada num carro. Era um *carro novo*, sugerindo que os homens que transportavam a arca tinham algum senso da santidade de sua tarefa. Eles não a jogaram simplesmente numa carroça velha. Mas também não realizaram a tarefa como Deus havia expressamente ordenado. Assim, quando o carro bateu com força no trajeto, quase tombou. Uzá, que havia sido treinado a vida inteira para proteger a arca da aliança, estendeu a mão para impedi-la de cair do carro. Ele a tocou, e Deus o matou imediatamente.

Certamente Uzá tinha boas intenções. Parece que ele estava apenas tentando fazer seu trabalho ao proteger a arca, mas o estava realizando de forma errada. Ele se esforçou para cumprir uma responsabilidade perante Deus, mas em desacordo com a revelação dada por Deus. Ele pode ter encarado seu ato como de adoração, como uma tentativa de preservar a santidade de Deus, mas poluiu a arca com o toque de suas mãos, e isso lhe custou a vida.

Os que oferecem adoração a seu modo são inaceitáveis a Deus, não importa se suas intenções são boas.

Todos esses incidentes nos ensinam que Deus não aceitará adoração irregular. Alguns insistiriam que qualquer tipo de adoração sincera é aceitável a Deus, mas isso simplesmente não é verdade. A Bíblia ensina claramente que os que oferecem adoração a seu modo são inaceitáveis a Deus, não importa se suas intenções são boas. Independentemente de quão pura seja a nossa motivação ou de quão sinceros sejamos em nossa tentativa, se fracassarmos em adorar a Deus como ele mandou, não seremos abençoados.

QUATRO TIPOS DE ADORAÇÃO INACEITÁVEL

As Escrituras sugerem pelo menos quatro categorias de adoração errada. Uma é *a adoração a falsos deuses*. Não há outro Deus, a não ser o Deus da Bíblia, e ele é zeloso e não tolera a adoração a outro deus. Em Isaías 48:11, Deus diz: *Não darei a minha glória a nenhum outro.* Isso é uma repetição de Isaías 42:8: *Eu sou o Senhor; este é o meu nome. Não darei a minha glória a outro, nem o meu louvor às imagens esculpidas.* Êxodo 34:14 explica: *Porque não adorarás nenhum outro deus; pois o Senhor, cujo nome é Zeloso, é Deus zeloso.*

No entanto, a maior parte do mundo adora deuses falsos. Romanos 1:21 acusa a humanidade inteira por esta tendência. Falando a respeito de toda a raça humana em sua condição decaída e perdida, Paulo escreve: *Porque, mesmo tendo conhecido a Deus, não o glorificaram, nem lhe deram graças.*

Paulo descreve então a história da degradação de nossa raça rumo a formas mais profundas e pecaminosas de falsa adoração. É significativo que a essência da depravação humana, tal como Paulo descreve, esteja ligada à falsa adoração – começando com a recusa em adorar a Deus como devemos. Os que se afastam do Deus verdadeiro invariavelmente fazem seus ídolos para adorar – e isso leva inexoravelmente a expressões cada vez mais pecaminosas de falsa religião. Paulo resume isso no mínimo possível de palavras: *Dizendo-se sábios, tornaram-se loucos e substituíram a glória do Deus incorruptível por imagens semelhantes ao homem corruptível, às aves, aos quadrúpedes e aos répteis* (v. 22-23).

O versículo 24 fala então das consequências amargas de adorar falsos deuses: *É por isso que Deus os entregou à impureza sexual, ao desejo ardente de seus corações, para desonrarem seus corpos entre si.* O versículo 26 prossegue: *Por isso, Deus os entregou a paixões desonrosas.* O versículo 28 acrescenta: *Foram entregues pelo próprio Deus a uma mentalidade condenável.*

Assim, o resultado da adoração imprópria é que Deus simplesmente entrega os idólatras ao seu pecado e às suas consequências. Você pode pensar em algo pior? O pecado deles torna-se cada vez mais o fator dominante de sua vida e, no final, em Romanos 1:32–2:1, aprendemos que eles enfrentam julgamento sem que haja desculpas.

Todos adoram. Somos criaturas espirituais, e o impulso para adorar é uma das necessidades humanas básicas que Deus projetou em nosso coração. Quando a pessoa rejeita a Deus, ela invariavelmente adora falsos deuses. Isso é verdade até em relação a um ateu. Ele adora a si mesmo. Isso, é claro, foi o que Deus proibiu no primeiro mandamento.

Falsos deuses podem ser objetos materiais ou imaginários, ou ainda seres sobrenaturais. Deuses materiais podem ser adorados mesmo sem o pensamento consciente de que eles sejam divindades. Jó 31:24-28 diz:

Se coloquei a esperança no ouro, ou disse ao ouro refinado: Tu és minha confiança; se me alegrei por ser muito rico, e por ter conquistado grandes coisas; se olhei para o sol, quando brilhava, ou para a lua, quando ela caminhava em esplendor, e o meu coração foi enganado em segredo, e a minha mão mandou beijos de veneração; isso também seria um mal a ser punido pelos juízes; pois assim eu teria negado a Deus, que está lá em cima.

Jó recusou a inclinação para adorar a riqueza material. Se você adora o que possui – se você centra sua vida em si mesmo, em suas posses ou até mesmo em suas necessidades –, você está negando a Deus. Na verdade você está fazendo de suas posses o seu deus.

Habacuque 1:15,16 descreve a falsa adoração dos caldeus: *O adversário levanta a todos com o anzol, apanha-os na sua rede e os ajunta na sua rede de arrastão; por isso ele se alegra e se regozija. Por isso sacrifica à sua rede e queima incenso à sua rede de arrastão.* Sua rede era seu poder militar, e o deus que eles adoravam era o poder armado – um clássico exemplo de falsa adoração da qual frequentemente todas as nações são vítimas.

Alguns criam deuses sobrenaturais, divindades pessoais imaginárias. Isso, também, é claramente inaceitável. Em 1Coríntios 10:20, vemos que as coisas sacrificadas aos ídolos são, na verdade, oferecidas aos demônios. Em outras palavras, quando as pessoas adoram seres falsos, estão de fato apenas adorando os demônios que personificam aqueles falsos deuses. Muitos fazem isso sem reconhecer o elemento demoníaco em sua adoração, mas, não obstante, trata-se de uma falsa religião diabólica.

Atos 17:29 contém uma maravilhosa observação feita por Paulo: *Sendo nós gerados por Deus, não devemos pensar que a divindade seja semelhante ao ouro, à prata, ou à pedra esculpida pela arte e imaginação humana.* Somos feitos à imagem de Deus, e não somos prata, pedra e madeira. Como poderíamos pensar que o nosso Criador seria assim?

Um segundo tipo de adoração inaceitável é *a adoração ao Deus verdadeiro da forma errada.* Êxodo 32:7,8 registra a resposta de Deus quando os israelitas fizeram um bezerro de ouro para adorar:

Então o Senhor disse a Moisés: Vai, desce, porque o teu povo, que tiraste da terra do Egito, se corrompeu; depressa se desviou do caminho que lhe ordenei. Fizeram para si um bezerro de fundição, adoraram-no, ofereceram-lhe sacrifícios e disseram: Aí está, ó Israel, o teu deus, que te tirou da terra do Egito.

Observe que eles estavam prestando homenagem com seus lábios a Jeová, aquele que os livrara da escravidão egípcia. Eles acreditavam piamente que estavam adorando o Deus verdadeiro – *tinham a intenção* de adorá-lo –, mas o haviam reduzido a uma imagem.

Anos depois, como está registrado em Deuteronômio 4:14-19, Moisés disse aos israelitas reunidos:

Ao mesmo tempo, o Senhor também me ordenou que vos ensinasse estatutos e preceitos, para que os cumprísseis na terra à qual vos dirigis para dela tomar posse. Ficai muito atentos, pois não vistes forma alguma no dia em que o Senhor, vosso Deus, falou convosco do meio do fogo, no Horebe, para não vos corromperdes, fazendo para vós alguma imagem esculpida, na forma de qualquer figura, semelhante a homem ou mulher; ou semelhante a qualquer animal na terra, ou a qualquer ave que voa pelo céu; ou semelhante a qualquer animal que rasteja sobre a terra, ou a qualquer peixe nas águas debaixo da terra; e para não acontecer que, levantando os olhos ao céu, e vendo o sol, a lua e as estrelas, todo esse exército do céu, sejais levados a vos inclinardes perante eles, prestando culto a essas coisas que o Senhor, vosso Deus, concedeu igualmente a todos os povos debaixo do céu.

Em outras palavras, quando Deus se revelou aos israelitas como nação, ele não estava personificado em alguma forma distinta. Houve manifestações de sua glória e de seu poder – a coluna de fogo e fumaça, os milagres e a glória refletida na face de Moisés –, mas não houve representação tangível ou visível de Deus. Isto é verdade com relação ao nosso Pai celestial em toda a Escritura. Por quê? Porque Deus não quer ser reduzido a uma imagem.

A idolatria não começa com o martelo do escultor; ela começa na mente.

Se você imagina Deus como um velho barbudo sentado num trono, isso é inaceitável. A idolatria não começa com o martelo do escultor; ela começa na mente. Quando pensamos em Deus, o que devemos visualizar? Absolutamente nada. Nenhum conceito visual de Deus poderia representar adequadamente sua glória eterna. Isso pode se dever ao fato de Deus ser descrito como luz. Não é possível fazer uma estátua da luz.

Um terceiro tipo de adoração irregular é *a adoração ao Deus verdadeiro em um estilo próprio.* Como vimos, Nadabe e Abiú, Saul e Uzá foram todos culpados de adorar a Deus à própria maneira, diferentemente da revelação de Deus. Essa é uma adoração falsa, assim como adorar um ídolo de pedra é uma adoração falsa, e Deus não a aceita.

Os fariseus tentavam adorar ao Deus verdadeiro com um sistema próprio, e Jesus lhes disse: *E vós, por que transgredis o mandamento de Deus por causa da vossa tradição?* (Mateus 15:3). A adoração deles era uma abominação.

Um tipo mais sutil de adoração falsa que qualquer das três já mencionadas é *a adoração ao Deus verdadeiro da forma correta, mas com uma atitude errada.*

Se eliminarmos todos os falsos deuses, todas as imagens do Deus verdadeiro e todos os modelos com um estilo próprio de adoração, nossa adoração ainda será inaceitável se a atitude do nosso coração não for correta. Talvez você não adore falsos deuses ou imagens do Deus verdadeiro. E talvez não seja culpado de inventar seu estilo de adoração. Mas você adora com a atitude correta? Se não o faz, sua adoração é inaceitável a Deus.

O seu coração inteiro está na adoração? Quando chega a hora de entregar, você entrega o melhor que tem? Seu ser interior está cheio de temor e reverência? Sejamos sinceros: nenhum de nós pode responder a essas perguntas de forma afirmativa sem hesitação ou reserva.

No capítulo 1 de Malaquias, Deus censura o povo de Israel pela imperfeição de sua adoração. *Ofereceis alimento impuro sobre o meu altar*, ele disse (v. 7). Eles estavam tratando a questão da adoração com desdém, com irreverência. Ao oferecer animais cegos, mancos e doentes (v. 8), em vez de trazer o melhor que tinham, estavam demonstrando descaso com a seriedade da adoração. No versículo 10, Deus diz: *Eu não tenho prazer em vós, nem aceitarei vossa oferta*. Ele se recusou aceitar a adoração deles, porque a atitude deles não era correta.

Amós também nos dá uma visão sobre a intensidade do ódio de Deus pela adoração feita com atitude errada. Em Amós 5:21-24, Deus diz:

> Eu detesto e desprezo vossas festas; não me agrado das vossas assembleias solenes. Ainda que me ofereçais sacrifícios com as vossas ofertas de cereais, não me agradarei deles; nem olharei para as ofertas pacíficas de vossos animais de engorda. Afastai de mim o som dos vossos cânticos, porque não ouvirei as melodias das vossas liras. Corra porém a justiça como as águas, e a retidão, como o ribeiro perene.

Oseias viu a mesma verdade. Em Oseias 6:4-6, lemos:

> Que te farei, ó Efraim? Que te farei, ó Judá? Porque o vosso amor é como a névoa da manhã e como o orvalho que logo se acaba. Por isso os abati por meio dos profetas; matei-os pela palavra da minha boca; e os meus juízos a teu respeito sairão como a luz. Pois quero misericórdia e não sacrifícios; e o conhecimento de Deus, mais do que os holocaustos.

Aquilo tudo era hipocrisia, não adoração. As ofertas eram vazias. Assim como muitos nos dias atuais, eles eram culpados de dar a Deus o símbolo, mas não a realidade.

Isaías 1:11-15 traz a mesma acusação:

O Senhor pergunta: Para que me trazeis tantos sacrifícios? Estou farto dos holocaustos de carneiros e da gordura de animais de engorda. Não me agrado do sangue de novilhos, de cordeiros e de bodes. Quando vindes comparecer diante de mim, quem vos pediu que pisásseis nos meus átrios? Não continueis a trazer oferta inútil; para mim é incenso abominável. Luas novas, sábados e convocações de assembleias; não suporto maldade com solenidade! A minha alma aborrece as vossas luas novas e as vossas festas fixas. Já me são pesadas! Estou cansado de suportá-las! Quando estendes as mãos, esconderei os olhos de vós; e ainda que multipliqueis as orações, não as ouvirei.

Leia cuidadosamente os profetas menores. As profecias da destruição de Israel e Judá estão relacionadas ao fato de eles não adorarem a Deus com a atitude correta.

NOSSA MAIOR NECESSIDADE

Talvez a maior necessidade de toda a cristandade seja uma clara compreensão do ensino bíblico sobre a adoração. Quando a igreja falha em adorar corretamente, falha em todas as demais áreas. E o mundo está sofrendo por causa dessa falha.

Grande parte do mundo oferece a falsa adoração, o tipo de adoração que se concentra em uma tortilha, em coisas materiais, no ritual ou na forma, ou até mesmo em bênçãos divinas. Se não adoramos essas coisas, oferecemos o tipo de adoração que segue um estilo próprio, projetado para agradar os adoradores. E, mesmo no melhor dos casos, a nossa adoração é oferecida com uma atitude errada ou parcial. Deus não aceitará esse tipo de adoração baseado nos próprios méritos. A Bíblia é explícita a respeito.

Devemos buscar uma nova compreensão da adoração. Deus assim nos ordenou. Nosso ministério depende disso. É algo crucial para o nosso relacionamento com ele e para o nosso testemunho neste mundo. Não podemos nos dar ao luxo de ignorá-lo. Há muita coisa em jogo.

CAPÍTULO DOIS

Como devemos então adorar?

Faz alguns anos, o comediante Flip Wilson retratou uma personagem chamada reverendo Leroy, que pastoreava a Igreja What's Happenin' Now. Naquela época, o reverendo Leroy e sua igreja pareciam uma paródia ultrajante. Mas, na verdade, a comunidade evangélica atual está repleta de reverendos Leroys e igrejas daquele tipo.

Algumas igrejas parecem não ter limites para se tornarem "relevantes" e "contemporâneas" em seus cultos de louvor. Para elas, nada é profano ou escandaloso demais que não possa ser fundido com o jargão cristão e chamado de "adoração".

De fato, não existe nada realmente original ou imaginativo a respeito da tendência. Charles Spurgeon argumentou com os líderes da igreja de sua época[1] que insistiam que a igreja precisava observar e imitar os costumes da cultura vitoriana para permanecer relevante na era moderna. As igrejas evangélicas vêm se adaptando e aceitando as tendências seculares por pelo menos um século e meio. A única diferença em relação à época de Spurgeon é que, agora, as tendências e atividades seculares importadas para dentro da igreja se tornam mais bizarras a cada ano.

Em meados de 1990, recortei um artigo do *Los Angeles Times Magazine* sobre uma igreja do sul da Califórnia em busca de relevância. O pastor era um fanático por música sertaneja, por isso queria chegar às subculturas *country* e *western* de sua comunidade. O pastor distribuiu panfletos anunciando os cultos de sua igreja como "A agradável hora *country* com Deus". Os panfletos prometiam ousadamente um "programa dançante após a

---

[1] Para um relato detalhado de Charles Spurgeon, a Controvérsia do Declínio e a relevância desse pensador sobre a tendência evangélica no nosso tempo, v. MacArthur, John. *Ashamed of the Gospel: When the Church Becomes Like the World.* Wheaton: Crossway, 1993, 2010.

adoração". De acordo com o artigo da revista, "o pastor também dança, vestido com botas Wrangler e calça Levis". O pastor atribuiu à campanha a revitalização da sua igreja. O artigo descrevia uma típica manhã de domingo na igreja:

> Os membros ouvem sermões cujos tópicos incluem a caminhonete Ford 70 do pastor, e o sexo cristão (classificado como R, devido a "relevância, respeito e relacionamento", diz [o pastor], "e mais diversão do que parece"). Após o culto, eles dançam com uma banda chamada Os Anjos Honkytonk. A frequência vem crescendo de forma constante [...].[2]

Você poderia pensar que uma cena dessa é apenas a aberração de uma igreja obscura e bizarra. Infelizmente, não é o caso. A teoria vigente do crescimento da igreja escancarou a porta para tais farsas. Às vezes parece que P. T. Barnum[3] é o modelo principal para muitos profissionais do crescimento de igrejas nos dias de hoje. De fato, o seguinte anúncio para o culto de domingo à noite apareceu no boletim de uma das maiores e mais conhecidas igrejas do "Cinturão Bíblico"[4] da América:

> Circo
> Veja Barnum e Bailey derrotados quando o mágico do circo vier à Comunidade da Animação! Palhaços! Acrobatas! Animais! Pipoca! Que grande noite!

Em certa ocasião, a mesma igreja fez a equipe de pastores organizar uma luta livre durante o culto de domingo, chegando a levar um treinador

---

[2] RAPHAEL, Judy. "God and Country", *Los Angeles Times Magazine* (6 nov. 1994), 14.
[3] [NT] Phineas Taylor Barnum foi um *showman* e empresário do entretenimento norte-americano, conhecido por promover as mais famosas fraudes e fundar o circo que viria a se tornar o Ringling Bros. and Barnum & Bailey Circus. Fonte: Wikipédia.
[4] [NE] Região dos Estados Unidos em que a prática do protestantismo faz parte da cultura local. O título deriva da forte ênfase dada à Bíblia pelas denominações protestantes. Inclui o sul do país, a região oeste e o Meio-Oeste, com destaque para as cidades de Dallas, Houston, Fort Worth e Atlanta. Fonte: Wikipédia.

profissional para treinar os pastores a derrubarem uns aos outros no ringue, com puxões de cabelo e chutes nas pernas (sem que realmente se machucassem).[5] Novamente, esses não são incidentes extraordinários. Inúmeras igrejas estão seguindo métodos semelhantes, empregando todos os meios disponíveis para dar sabor a seus cultos.

De fato, a filosofia por trás dessa abordagem está por aí há muito tempo, tão generalizada e tão profundamente enraizada na cultura evangélica que o único tipo de igreja hoje em dia que pode ser legitimamente chamado de "não tradicional" seria aquela em que a pregação bíblica e hinos históricos sólidos, ricos em conteúdo, constituem a espinha dorsal do culto de domingo.

Claramente, o culto de domingo passa por uma revolução sem paralelos em toda a história da igreja.

A VERDADEIRA ADORAÇÃO

Anos atrás, quando preguei pela primeira vez a série que se tornou a base para este livro, estudar a expressão bíblica *em espírito e em verdade* (João 4:24, ARA) me afetou profundamente, mudando para sempre minha perspectiva sobre o que significa adorar.

Aqueles sermões sobre adoração sinalizaram o início de uma nova era para a nossa igreja. A adoração em nossas reuniões de domingo adquiriu uma profundidade e um significado totalmente novos. As pessoas começaram a ter consciência de que cada aspecto da ordem do culto é adoração prestada a Deus. Elas começaram a encarar todo tipo de superficialidade como uma afronta a um Deus santo. E passaram a ver a adoração como uma atividade do participante, não de um expectador de esporte. Muitos se deram conta pela primeira vez de que a adoração é a prioridade suprema da igreja – e não a área de relações públicas, ou a área de recreação e atividades sociais, nem o setor que visa incrementar o número de frequentadores.

---

[5] NIEBUHR, R. Gustav. "Mighty Fortresses: Megachurches Strive To Be All Things to All Parishioners". *The Wall Street Journal* (13 de maio de 1991), A:6.

Além disso, quando a nossa congregação começou a pensar seriamente na adoração, fomos impelidos cada vez mais ao único manual de adoração confiável e suficiente – as Escrituras. Se Deus deseja adoração em espírito e em verdade, e se a adoração é algo oferecido a Deus – e não apenas um espetáculo em benefício da congregação –, então cada aspecto de nossa adoração deve agradar a Deus e estar em harmonia com sua Palavra. Assim, a consequência de nossa renovada ênfase na adoração foi que ela elevou nosso compromisso com a centralidade das Escrituras.

SOLA SCRIPTURA

Alguns anos depois da série sobre adoração (apenas um ano ou dois após a publicação da primeira edição deste livro), fiz uma pregação sobre o salmo 19. Foi como se eu visse pela primeira vez o poder daquilo que o salmista estava dizendo sobre a total suficiência das Escrituras:

> A lei do Senhor é perfeita e restaura a alma; o testemunho do Senhor é fiel e dá sabedoria aos simples. Os preceitos do Senhor são retos e alegram o coração; o mandamento do Senhor é puro e ilumina os olhos. O temor do Senhor é limpo e permanece para sempre; os juízos do Senhor são verdadeiros e inteiramente justos. São mais desejáveis que o ouro, sim, do que muito ouro puro, mais doces do que o mel que goteja dos favos. (v. 7-10)

O ponto principal desta passagem, muito simples, é que as Escrituras são plenamente suficientes para atender a todas as necessidades da alma humana. O texto sugere que toda verdade espiritual essencial está contida na Palavra de Deus. Pense nisto: A verdade das Escrituras pode restaurar a alma danificada pelo pecado, conceder sabedoria espiritual, encorajar o coração abatido e prover esclarecimento espiritual. Em outras palavras, a Bíblia resume tudo o que precisamos saber sobre a verdade e a justiça. Ou, como escreveu o apóstolo Paulo, as Escrituras nos preparam para toda boa obra (2Timóteo 3:17).

A série sobre o salmo 19 marcou outro momento decisivo na vida da nossa igreja. Ela nos colocou face a face com o princípio reformador da *Sola Scriptura* – somente as Escrituras. Numa era em que muitos evangélicos parecem se voltar em massa para a especialização secular nas áreas da psicologia, negócios, política, relações públicas e entretenimento, somos redirecionados para as Escrituras como a única fonte na qual podemos buscar a infalível verdade espiritual. Isso teve um impacto em todos os aspectos da vida da nossa igreja – incluindo a adoração.

A SUFICIÊNCIA DAS ESCRITURAS COMO PRINCÍPIO REGULADOR DA ADORAÇÃO

Como a suficiência das Escrituras se aplica à adoração? Os reformadores responderam a essa pergunta aplicando o princípio da *Sola Scriptura* num dogma que eles chamaram de *o princípio regulador*. João Calvino foi um dos primeiros a articulá-lo de forma sucinta:

> Não podemos adotar [em nossa adoração] nenhum artifício que pareça caber a nós mesmos, mas devemos olhar para as injunções daquele que tem o direito exclusivo de determinar. Portanto, se quisermos que ele aprove a nossa adoração, essa regra, que ele em todos os lugares impõe com o máximo rigor, deve ser cuidadosamente observada [...]. *Deus desaprova todos os modos de adoração que não sejam expressamente sancionados por sua Palavra.*[6]

Calvino sustentou esse princípio com vários textos bíblicos, incluindo 1Samuel 15:22: *Obedecer é melhor que oferecer sacrifícios, e o atender, melhor que a gordura de carneiros.* E Mateus 15:9: *Em vão me adoram, ensinando doutrinas que são preceitos humanos.*

Um inglês contemporâneo de Calvino, John Hooper, afirmou o mesmo princípio desta forma: "Nada deve ser usado na Igreja que não seja

---

[6] CALVINO, John. *The Necessity of Reforming the Church.* Dallas: Protestant Heritage Press, 1995, reimpressão, p. 17-18.

apoiado pela expressa Palavra de Deus, ou de resto seja algo indiferente em si mesmo, que não traga proveito quando feito ou usado, mas nenhum dano quando não feito ou omitido".[7]

O historiador escocês do século 19, William Cunningham definiu o princípio regulador nestes termos: "É injustificável e ilegal introduzir no governo e na adoração da igreja qualquer coisa que não seja a aprovação positiva das Escrituras".[8]

Os reformadores e os puritanos aplicaram o princípio regulador contra o ritual formal, as vestes sacerdotais, a hierarquia da igreja e outros remanescentes da adoração católica romana medieval. O princípio regulador foi muitas vezes citado, por exemplo, pelos reformadores ingleses que se opuseram a elementos do formalismo litúrgico do anglicanismo que foram tomados emprestados da tradição católica. Foi o compromisso dos puritanos ao princípio regulador que fez centenas de pastores puritanos ser expulsos por decreto dos púlpitos da Igreja da Inglaterra em 1662.[9]

Além disso, a simplicidade das formas de adoração nas igrejas presbiterianas, batistas, congregacionais e outras tradições evangélicas é resultado da aplicação do princípio regulador.

Os evangélicos hoje fariam bem em recuperar a confiança de seus ancestrais na *Sola Scriptura* como ela se aplica à adoração e à liderança da igreja. Inúmeras tendências danosas na igreja nestes dias revelam uma diminuição da confiança evangélica na suficiência das Escrituras. Por outro lado, existe, como já observamos, quase uma atmosfera circense em

---

[7] HOOPER, John. "The Regulative Principle and Things Indifferent". In: MURRAY, Iain H. *The Reformation of the Church*. Edinburgh: Banner of Truth, 1965, p. 55.

[8] CUNNINGHAM, William. *The Reformers and the Theology of the Reformation*. Edinburgh: Banner of Truth, 1989, reimpressão, p. 27.

[9] O Ato de Uniformidade (1661) teve consentimento real de Carlos II logo depois da restauração da monarquia inglesa. Por ele, exigia-se que todo ministro da igreja da Inglaterra declarasse apoio irrestrito a tudo o que estava determinado na nova edição do Livro de oração comum. Muitos ministros discordantes se opuseram ao uso do vestuário e a outras prescrições extrabíblicas para condução dos cultos. Esses homens foram sumariamente expulsos de seus púlpitos e de suas profissões por causa de sua posição em relação ao princípio da *Sola Scriptura*.

algumas igrejas, nas quais se empregam métodos pragmáticos que rivalizam com o que é santo, tudo com a justificativa de aumentar a frequência. No entanto, um número cada vez maior de evangélicos conservadores está abandonando as formas simples de adoração em favor do formalismo litúrgico. Muitos estão até deixando o evangelicalismo por completo e se alinhando com a ortodoxia oriental e com o catolicismo romano.

Enquanto isso, algumas igrejas optam por uma identificação de completo misticismo que é turbulento, emocional e desprovido de senso racional. Vê-se evidência disso no surgimento e queda de movimentos como a "Bênção de Toronto" e o "Reavivamento de Pensacola" – e novamente em formas abertamente mais sinistras, como "Reavivamento de Lakeland" e os Filhos do Trovão (cuja marca registrada é agir embriagados e rotular seu comportamento de a "Glória Bêbada"). As pessoas desses movimentos riem incontrolavelmente, latem como cães, rugem como leões, cacarejam como galinhas, pulam, correm e entram em convulsão – ou pior. Eles veem tudo isso como prova de que o poder de Deus lhes foi transmitido.

Nenhuma dessas tendências está sendo promovida por sólidas razões bíblicas, é claro. Ao contrário, seus defensores citam argumentos práticos ou procuram apoio em textos equivocados, no revisionismo da história ou nas tradições antigas. Essa é precisamente a mentalidade que os reformadores rejeitaram.

Uma nova compreensão da *Sola Scriptura* – a suficiência das Escrituras – deveria ser um estímulo para nos mantermos reformando nossas igrejas, regularmos nossa adoração de acordo com o ordenamento bíblico e desejarmos apaixonadamente ser quem adora a Deus em espírito e em verdade.

APLICANDO O PRINCÍPIO DA
SOLA SCRIPTURA À ADORAÇÃO

De imediato, surgem questões práticas sobre como a *Sola Scriptura* deve ser usada para regular a adoração. Muitos observarão que ninguém menos que Charles Spurgeon usou o princípio regulador para excluir o uso de qualquer instrumento musical na adoração. Spurgeon se recusou a permitir um órgão no Tabernáculo Metropolitano, por acreditar que não havia justificativa bíblica para empregar instrumentos musicais na adoração cristã. De fato, existem cristãos ainda hoje que se opõem ao uso de instrumentos musicais com o mesmo fundamento.

Na igreja que eu pastoreio, entretanto, usamos instrumentos de todos os tipos, desde trompete e harpa até címbalos altissonantes. Encontramos no salmo 150 clara permissão bíblica para o uso de instrumentos musicais na adoração.

Obviamente, nem todos os que afirmam a validade do princípio regulador necessariamente concordam em todos os detalhes sobre como ele deve ser aplicado. Alguns apontam para tais diferenças em matéria de costumes e sugerem que o princípio regulador como um todo é indefensável. William Cunningham notou que os críticos do princípio frequentemente tentam ridicularizá-lo recorrendo à tática do *reductio ad absurdum*:

> Os que não gostam deste princípio, independentemente do motivo, normalmente tentam nos colocar em dificuldade atribuindo a ele um significado muito limitado e, com isso, dando-lhe uma aparência de absurdo. [Mas] o princípio deve ser interpretado e explicado no exercício do senso comum. [...] As dificuldades e diferenças de opinião podem surgir com respeito a detalhes, mesmo quando um juízo correto e o senso comum são exercidos sobre a interpretação e a aplicação do princípio; mas isso não concede fundamento para negar ou duvidar da verdade ou da validade do princípio em si.[10]

Cunningham reconheceu que o princípio regulador é frequentemente empregado na argumentação contra coisas que podem parecer relativamente sem importância, como "ritos e cerimônias, vestes e órgãos, sinal da cruz, ajoelhar, curvar-se", e outros paramentos da adoração formal. Por isso, Cunningham disse: "Alguns homens parecem pensar que ele

---

[10] CUNNINGHAM, William. *The Reformers and the Theology of the Reformation*, p. 32.

COMO DEVEMOS ENTÃO ADORAR?

[o princípio regulador] participa da pequenez intrínseca das coisas".[11] Consequentemente, muitos concluem que aqueles que advogam o princípio regulador o fazem porque no fundo gostam de brigar por questões pequenas.

Certamente ninguém deveria ter prazer em disputas sobre pontos de menor importância. É indubitavelmente verdade que o princípio regulador tem sido usado impropriamente em algumas ocasiões. Uma obsessão em aplicar qualquer princípio até o detalhe pode facilmente tornar-se uma forma destrutiva de legalismo.[12]

Mas o princípio da *Sola Scriptura* aplicado à adoração, no entanto, é digno de defesa feroz. O princípio em si não é, absolutamente, trivial. Afinal, deixar de aderir à prescrição bíblica para a adoração é exatamente o que fez a igreja mergulhar nas trevas e na idolatria durante a Idade Média.

Não tenho interesse em acender um debate sobre instrumentos musicais *versus* cântico a capela, hinos *versus* salmodia exclusiva, coros e solistas *versus* canto congregacional, ou outras questões relacionadas ao estilo musical. Se existem os que querem usar o princípio regulador como trampolim para debates intermináveis a respeito dessas questões

---

[11] Ibid., p. 35.

[12] Ao mesmo tempo, é útil lembrar que algumas disputas sobre as quais lemos na história da igreja não foram tão banais como podem parecer à primeira vista. Houve um acalorado debate entre os primeiros protestantes, por exemplo, sobre a postura apropriada para receber a comunhão. Alguns achavam que os elementos deveriam ser tomados de joelhos, mas os seguidores de Calvino insistiam que a comunhão deveria ser administrada às pessoas sentadas. O verdadeiro debate tinha que ver com uma questão mais importante que a postura. O catolicismo romano ensinava que aqueles elementos eram o verdadeiro corpo e sangue de Cristo e, consequentemente, eram dignos de adoração. Durante a missa católica, quando os elementos são elevados, espera-se que as pessoas se ajoelhem em adoração. Os calvinistas, corretamente, viam isso como uma forma de idolatria e, para deixar clara sua posição, ensinavam que os elementos eram apenas símbolos – não algo a ser adorado – e deviam, portanto, ser servidos às pessoas sentadas. O contexto desse debate é frequentemente esquecido por evangélicos contemporâneos, que às vezes descrevem os reformadores erroneamente discutindo sobre ninharias.

(ou até mesmo assuntos menos importantes), peço que me esqueçam. As questões que ativam minha preocupação sobre a adoração contemporânea são muito maiores. Elas vão exatamente ao centro do que significa adorar no Espírito e em verdade.

Minha preocupação é esta: o abandono da igreja contemporânea à *Sola Scriptura* como princípio regulador abriu a igreja para alguns dos mais rudes abusos imagináveis – incluindo cultos honkytonk,[13] exibições de luta livre e (em alguns casos) praticamente a atmosfera de um pequeno espetáculo carnavalesco. Até mesmo a aplicação mais ampla e liberal do princípio regulador teria um efeito corretivo sobre tais abusos.

Considere por um momento o que aconteceria à adoração coletiva se a igreja contemporânea levasse a sério a *Sola Scriptura*. Quatro orientações para adoração nos vêm à mente de imediato. Estas caíram num estado de trágica negligência. Recuperá-las certamente causaria uma nova Reforma na adoração da igreja moderna.

Pregar a Palavra. Na adoração coletiva, a pregação da Palavra deveria assumir o primeiro lugar. Todas as instruções neotestamentárias aos pastores se concentram nestas palavras de Paulo a Timóteo: *Prega a palavra, insiste a tempo e fora de tempo, aconselha, repreende e exorta com toda paciência e ensino* (2Timóteo 4:2). Em outra parte, Paulo resumiu seu conselho ao jovem pastor: *Enquanto aguardas a minha chegada, aplica-te à leitura, à exortação e ao ensino* (1Timóteo 4:13). Está muito claro que o ministério da Palavra ocupava o centro das responsabilidades pastorais de Timóteo.

Na igreja do Novo Testamento, as atividades da comunidade crente estavam totalmente devotadas ao *ensino dos apóstolos* [...] *comunhão e* [...] *orações* (Atos 2:42). A pregação da Palavra era a peça central de todo o culto. Paulo certa vez pregou para uma congregação até depois da meia-noite (Atos 20:7,8). O ministério da Palavra era uma parte tão fundamental da vida da igreja que, antes de qualquer homem se qualificar para servir

---

[13] Estilo de melodia de piano tocada em cabarés. [N. do E.]

como presbítero, ele tinha de provar ser experiente no ensino da Palavra (cf. 1Timóteo 3:2; 2Timóteo 2:24; Tito 1:9).

O apóstolo Paulo caracterizou o seu próprio chamado desta forma: *da qual* [igreja] *me tornei ministro segundo o chamado de Deus, que me foi concedido para convosco,* A FIM DE TORNAR PLENAMENTE CONHECIDA A PALAVRA DE DEUS (Colossenses 1:25, ênfase acrescentada). Você pode ter certeza de que a pregação era a característica predominante de cada culto de adoração do qual ele participou.

> *A pregação é um aspecto insubstituível de toda adoração coletiva.*

Muitas pessoas veem a pregação e a adoração como aspectos distintos do culto, como se a pregação não tivesse nada que ver com adoração e vice-versa. Mas essa é uma compreensão equivocada. O ministério da Palavra é a plataforma sobre a qual toda adoração genuína é construída. Em *Between Two Worlds* [Entre dois mundos], John Stott expressa isso com propriedade:

> A palavra e a adoração estão indissoluvelmente ligadas. Toda adoração é uma resposta inteligente e amorosa à revelação de Deus, porque é a adoração do nome dele. Portanto, a adoração aceitável é impossível sem a pregação. Isso porque a pregação é tornar conhecido o Nome do Senhor, e a adoração é louvar o Nome do Senhor tornado conhecido. Longe de ser uma intrusão estranha à adoração, a leitura e pregação da Palavra são de fato indispensáveis para ela. As duas não podem ser separadas.[14]

A pregação é um aspecto insubstituível de toda adoração coletiva. De fato, todo o culto deveria girar em torno do ministério da Palavra. Tudo mais é ou preparatório, ou é uma resposta à mensagem das Escrituras.

---

[14] STOTT, John R. W. *Between Two Worlds*. Grand Rapids: Eerdmans, 1982, p. 82.

Quando se permite que o teatro, a música, a comédia ou outras atividades usurpem o lugar da pregação da Palavra, a verdadeira adoração sofre inevitavelmente. E, quando a pregação é submetida a pompa e circunstância, isso também impede a verdadeira adoração. Um culto de "adoração" sem o ministério da Palavra é de valor questionável. Além disso, uma "igreja" na qual a Palavra de Deus não é regular e fielmente pregada não é uma verdadeira igreja.

Edificar o rebanho. As Escrituras nos dizem que o propósito dos dons espirituais é a edificação de toda a igreja (Efésios 4:12; cf. 1Coríntios 14:12). Consequentemente, todo ministério no contexto da igreja deve de algum modo ser edificante – ou seja, edificar o rebanho, e não apenas mexer com as emoções.

Acima de tudo, o ministério deve ter como objetivo estimular a adoração genuína. Para que isso aconteça, ele *precisa* ser edificante. Isso está implícito na expressão "adorar em espírito e em verdade". Como observamos repetidas vezes, a adoração deve envolver o intelecto e as emoções. Sem dúvida, a adoração deve ser apaixonada, sincera e comovente. Mas o ponto não é despertar as emoções e desligar a mente. A verdadeira adoração mistura coração e mente em resposta de pura adoração, baseada na verdade revelada na Palavra.

A música às vezes nos emociona pela completa beleza do seu som, mas esse sentimento não é adoração. A música em si, à parte da verdade contida na letra, não é um trampolim legítimo para a verdadeira adoração. Da mesma forma, uma história comovente pode ser tocante ou emocionante, mas, a não ser que a mensagem que ela transmite esteja no contexto da verdade bíblica, qualquer emoção que possa despertar não tem utilidade em estimular a adoração genuína. Paixões estimuladas não são necessariamente evidências de que a verdadeira adoração está acontecendo.

A adoração genuína é uma resposta à *verdade* divina. É ardente porque surge do nosso amor a Deus. Mas, para ser adoração verdadeira, precisa surgir de uma completa compreensão da lei de Deus, de sua justiça, de sua misericórdia e do seu Ser. A adoração verdadeira reconhece Deus como ele se revelou em sua Palavra. Sabemos pelas Escrituras, por exemplo, que somente ele é a fonte perfeita, santa, onipotente, onisciente e onipresente da qual fluem bondade, misericórdia, verdade, sabedoria, poder e salvação. Adorar significa atribuir glória a ele por causa dessas verdades. Significa adorá-lo pelo que ele é, pelo que ele fez e pelo que ele prometeu. *Deve*, consequentemente, ser uma resposta à verdade que ele revelou a respeito de si mesmo. Tal adoração não pode surgir do vácuo. Ela é estimulada e vitalizada pela verdade objetiva de sua Palavra.

> *A verdadeira adoração é uma*
> *resposta à verdade divina.*

Nem cerimônias automáticas nem mero entretenimento são capazes de provocar tal adoração – independentemente de quão comoventes possam ser. Agitação e atividades distantes da verdade não podem edificar. Na melhor das hipóteses, podem despertar uma reação puramente emocional. Mas isso não é adoração verdadeira.

Honrar o Senhor. A passagem de Hebreus 12:28 diz: *Por isso, recebendo nós um reino inabalável, retenhamos a graça, pela qual sirvamos a Deus de modo agradável, com reverência e santo temor* (ARA). Esse versículo fala sobre a atitude com a qual devemos adorar. A palavra grega para "servir" é *latreuo*, que literalmente significa "adorar". O fato é que a adoração deve ser feita com reverência, de forma que honre a Deus. De fato, a Almeida Século 21 traduz a passagem desta forma: *Por isso, recebendo um reino inabalável, sejamos gratos e, dessa forma, adoremos a Deus de forma que lhe seja agradável,* COM REVERÊNCIA E TEMOR (ênfase acrescentada) – e o versículo seguinte acrescenta: *Pois o nosso Deus é fogo que consome* (v. 29).

Certamente não há lugar na adoração coletiva para o tipo de atmosfera frívola, superficial, irrefletida, que quase sempre prevalece no tipo de igreja que procura desesperadamente ser "relevante" para uma cultura pós-moderna do tipo clube de comediantes. Trocar o culto de adoração por um circo está tão longe do espírito bíblico de adoração *com reverência e temor* quanto é possível chegar.

Reverência e *temor* referem-se ao senso solene de honra quando nos inteiramos da majestade de Deus. Ela exige o reconhecimento tanto da santidade de Deus quanto da nossa pecaminosidade. Tudo em nossa adoração coletiva deve ter por objetivo promover tal atmosfera.

Por que a igreja deveria substituir a pregação e a adoração pela imitação cômica nos cultos de domingo? Muitos que agem assim alegam estar procurando alcançar os não cristãos. Eles querem criar um ambiente amigável que será mais atrativo aos descrentes. O objetivo declarado deles é *relevância*, em vez de *reverência*. E os cultos deles são planejados para apelar aos gostos e às preferências dos descrentes de fora da igreja, não para a edificação dos crentes que se reuniram para adorar.

Muitas dessas igrejas dão pouca ou nenhuma ênfase às ordenanças do Novo Testamento. A ceia do Senhor, se observada, é relegada a um culto de menor importância no meio da semana. O batismo é considerado praticamente opcional e normalmente realizado em algum outro dia que não seja no culto de domingo.

O que há de errado com isso? Há algum problema em usar os cultos do Dia do Senhor como reuniões evangelísticas? Existe razão bíblica para o domingo ser o dia dos crentes se reunirem para adoração?

Tanto bíblica quanto historicamente, existem inúmeras razões para separar o primeiro dia da semana para adoração e comunhão entre os crentes. Infelizmente, um exame detalhado de todos esses argumentos estariam além do escopo deste breve capítulo. Mas uma simples aplicação do princípio regulador fornece ampla orientação.

Aprendemos pelas Escrituras, por exemplo, que o primeiro dia da semana foi o dia em que a igreja apostólica se reuniu para celebrar a mesa do Senhor: *No primeiro dia da semana, reunimo-nos a fim de partir o pão* (Atos 20:7). Paulo instruiu os coríntios a levantarem suas ofertas sistematicamente, no primeiro dia da semana, significando claramente que esse era o dia em que eles se reuniam para adorar. A história revela que a igreja primitiva se referia ao primeiro dia da semana como o Dia do Senhor, expressão encontrada em Apocalipse 1:10.

Além disso, as Escrituras sugerem que as reuniões regulares da igreja primitiva não tinham propósitos evangelísticos, mas essencialmente o encorajamento mútuo e a adoração entre a comunidade de crentes. É por isso que o escritor de Hebreus fez este apelo: *Pensemos em como nos estimular uns aos outros ao amor e às boas obras, não abandonemos a* PRÁTICA DE NOS REUNIR, *como é costume de alguns, mas, pelo contrário, animemo-nos uns aos outros* (Hebreus 10:24,25, ênfase acrescentada).

Certamente houve ocasiões em que os descrentes podem ter entrado na reunião dos crentes (cf. 1Coríntios 14:23). As reuniões da igreja do século 1 eram essencialmente públicas, como muitas são hoje. Mas o culto em si tinha por objetivo a adoração e a comunhão entre os crentes. O evangelismo acontecia no contexto do dia a dia, quando os crentes saíam para evangelizar. Eles se reuniam para adoração e comunhão e se espalhavam para evangelizar. Quando uma igreja torna todas as suas reuniões evangelísticas, os crentes perdem oportunidades de crescer, ser edificados e adorar.

Mais objetivamente, não existe autorização nas Escrituras para adaptarmos as reuniões semanais da igreja às preferências dos descrentes. De fato, a prática parece ser contrária ao espírito de tudo o que as Escrituras dizem sobre a reunião dos crentes.

Quando a igreja se reúne no Dia do Senhor, não há tempo para entreter o perdido, divertir os irmãos ou prover a "débil necessidade" dos presentes. É quando devemos nos curvar perante nosso Deus como uma congregação e honrá-lo com nossa adoração.

Não confiar na carne. Em Filipenses 3:3, o apóstolo Paulo caracteriza o culto cristão da seguinte forma: *Porque nós é que somos a circuncisão, nós, os que servimos a Deus em espírito, e nos orgulhamos em Cristo Jesus, e* NÃO CONFIAMOS NA CARNE (ênfase acrescentada).

Paulo prossegue testificando sobre como ele veio a perceber que seu legalismo farisaico pré-cristão era inútil. Ele descreve quanto estava obcecado por questões externas e carnais, como a circuncisão, a linhagem e obediência legal – em vez da questão mais importante que era o estado do seu coração. A conversão de Paulo na estrada de Damasco mudou tudo isso. Seus olhos foram abertos para a gloriosa verdade da justificação pela fé. Ele se deu conta de que a única forma de ser aceito perante Deus era revestir-se com a justiça de Cristo (v. 9). Ele aprendeu que a mera conformidade externa aos costumes religiosos – circuncisão e formalismo – não tinha nenhum valor espiritual. De fato, Paulo classificou essas coisas como lixo ou, mais literalmente, como *perda* (v. 8).

Hoje, entretanto, quando o cidadão comum fala sobre "adoração" (seja formal, seja informal), normalmente se refere a enfeites externos da religião pública que estão em vista – música, liturgia, cerimônia, ajoelhar e outras questões formais. Li recentemente o testemunho de um homem que deixou o cristianismo evangélico e uniu-se ao catolicismo romano. Uma das principais razões que ele deu para abandonar o evangelicalismo foi ter achado a liturgia católica romana "mais reverente". Quando ele explicou melhor, ficou claro que o que ele realmente quis dizer foi que Roma ofereceu mais acessórios do ritual formal – queimar velas, contemplar imagens, ajoelhar, recitar, fazer o sinal da cruz, e assim por diante. Essas coisas foram por ele equiparadas à adoração.

Mas tais coisas não têm nada que ver com a verdadeira adoração em espírito e em verdade. De fato, como invenções humanas – e não prescrições bíblicas –, são exatamente o tipo de artifícios carnais que Paulo classificou como *perda*.

A experiência e a história mostram que é incrivelmente forte a tendência humana para acrescentar aparato mundano à adoração que Deus prescreve. Israel fez isso no Antigo Testamento, culminando na religião dos fariseus. As religiões pagãs consistem em nada, *a não ser* em ritual mundano. O fato de tais cerimônias quase sempre serem bonitas e emocionantes não as transforma em adoração verdadeira. As Escrituras ressaltam claramente que Deus condena todos os acréscimos humanos ao que ele explicitamente ordenou: *em vão me adoram, ensinando doutrinas que são preceitos humanos* (Mateus 15:9).

Nós, que amamos a Palavra de Deus e cremos no princípio da *Sola Scriptura*, devemos ficar diligentemente em guarda contra tal tendência.

A ADORAÇÃO É A PRIORIDADE SUPREMA

Foi a Marta – preocupada a ponto de se distrair com os afazeres de uma anfitriã – que nosso Senhor disse: *Marta, Marta, estás ansiosa e preocupada com muitas coisas; mas uma só é necessária* (Lucas 10:41,42).

O sentido estava claro. Maria, que se sentou aos pés do Senhor em adoração, havia escolhido *a boa parte, e esta não lhe será tirada* (v. 42). A adoração de Maria teve significado eterno, enquanto a atarefada ocupação de Marta nada significou além daquela tarde especial.

Nosso Senhor estava ensinando que a adoração é a única atividade essencial que deve ter precedência sobre qualquer outra atividade da vida. E, se isso é verdade em nossa vida individual, quanto mais importância devemos dar a ela no contexto da reunião dos crentes?

O mundo está lotado de religião falsa e superficial. Nós, que amamos a Cristo e cremos que sua Palavra é verdade, não nos atrevemos a acomodar nossa adoração aos estilos e às preferências de um mundo descrente. Ao contrário, devemos tornar nossa prioridade a adoração em espírito e em verdade. Devemos ser um povo que adora no Espírito de Deus e na glória em Cristo Jesus, e que não confia na carne. E, para fazer isso, devemos permitir que somente as Escrituras – *Sola Scriptura* – regulem nossa adoração.

CAPÍTULO TRÊS

A ADORAÇÃO É UM ESTILO DE VIDA

Quão amplo é o conceito bíblico de adoração? E até onde é correta a percepção que você tem a respeito? A adoração é para a vida cristã o que a mola mestra é para um relógio, o que o motor é para um carro. A adoração é o núcleo, o elemento essencial.

A adoração não pode ser isolada ou relegada a um único lugar, tempo, ou segmento de nossa vida. Não podemos expressar em palavras agradecimento e louvor a Deus enquanto levamos uma vida de egoísmo e carnalidade. Esse tipo de adoração acaba por revelar-se uma perversão. Atos verdadeiros de adoração devem ser o transbordamento de uma vida em adoração perpétua.

No Salmos 45:1, Davi disse: *Meu coração transborda de boas palavras*. A palavra hebraica para "transbordar" significa "ferver", e esse sentido se aplica perfeitamente ao louvor. O coração está tão aquecido pela justiça e pelo amor que, em sentido figurado, atinge o ponto de ebulição. O louvor é a ebulição de um coração aquecido. É uma reminiscência que os discípulos experimentaram no caminho de Emaús: *Acaso o nosso coração não ardia?* (Lucas 24:32). Assim como Deus aquece o coração com justiça e amor, a vida resultante do louvor que borbulha e transborda é a expressão mais verdadeira de adoração.

O QUE É ADORAÇÃO?

Eis uma definição simples de adoração: *adoração é honra e culto dirigidos a Deus*. Não precisamos começar com uma definição mais detalhada que essa. À medida que estudarmos o conceito de adoração na Palavra de Deus, essa definição se encherá de riqueza.

O Novo Testamento usa diversas palavras para adoração. Duas delas são dignas de nota. A primeira é *proskuneo*, um termo comumente usado que literalmente significa "mandar um beijo", "beijar a mão" ou "prostrar-se". É o termo usado para significar adoração humilde. A segunda palavra é *latreuo*, que sugere render honra ou prestar respeito.

Atos verdadeiros de adoração devem ser o transbordamento
de uma vida em permanente adoração.

Ambas as palavras transmitem a ideia de dar, porque a adoração é dar algo a Deus. A palavra anglo-saxônica da qual deriva o termo inglês atual é *weorthscipe*, que está ligado ao conceito de importância. Adorar é atribuir a Deus sua importância, ou declarar e afirmar seu supremo valor.

Quando nos referimos à adoração, estamos falando sobre algo que *nós* damos a Deus. O cristianismo moderno parece, ao contrário, estar comprometido com a ideia de que Deus deveria dar algo a nós. Os religiosos da televisão às vezes parecem implacavelmente focados em obter coisas de Deus. Ele *de fato* nos dá com abundância, mas a essência da fé autêntica e da verdadeira adoração está envolta em honra e adoração que nós rendemos a Deus. Esse desejo intenso e desinteressado de dar a Deus é o elemento que define a adoração genuína. Começa primeiro com a entrega de nós mesmos, e depois de nossas atitudes e posses – até que a adoração se torne um estilo de vida.

ADORAÇÃO EM TRÊS DIMENSÕES

Um adjetivo-chave, frequentemente usado no Novo Testamento para descrever atos adequados de adoração, é o termo *aceitável*. Todo adorador procura oferecer o que é aceitável, e pelo menos três categorias de adoração aceitável são especificadas nas Escrituras.

A dimensão exterior. Primeiro, a adoração pode ser refletida em nosso comportamento em relação aos outros. Romanos 14:18 diz: *Pois quem serve [latreuo] a Cristo dessa forma é agradável a Deus.* O que significa esta oferta agradável a Deus? O contexto revela que é *ser sensível ao irmão mais fraco.* O versículo 13 diz: *Portanto, não nos julguemos mais uns aos outros; pelo contrário, tende como propósito não pôr pedra de tropeço ou obstáculo diante de vosso irmão.* Em outras palavras, quando tratamos os irmãos em Cristo com o tipo adequado de sensibilidade, isso é um ato aceitável de adoração. Esse ato honra ao Deus que criou e ama essa pessoa, e esse ato também reflete a compaixão e o cuidado de Deus.

Romanos 15:16, além disso, sugere que o *evangelismo* é uma forma de adoração aceitável. Paulo escreve que graça especial lhe foi dada *para ser um servo de Cristo Jesus entre os gentios, servindo ao evangelho de Deus como sacerdote, para que os gentios sejam aceitáveis a Deus.* Os gentios que foram ganhos para Jesus Cristo pelo ministério de Paulo tornaram-se uma oferta de adoração a Deus. E, além disso, tornaram-se, eles mesmos, adoradores.

Em Filipenses 4:18, Paulo agradece aos filipenses por uma oferta em dinheiro para ajudá-lo em seu ministério: *Mas tenho tudo, até em excesso; tenho amplos suprimentos, depois que recebi de Epafrodito o que enviastes, como aroma suave e como sacrifício aceitável e agradável a Deus.* Aqui, a adoração aceitável é descrita como dar aos necessitados. Isso glorifica a Deus, pois demonstra seu amor.

Assim, a adoração pode ser expressa ao compartilhar amor com irmãos em Cristo, pregar o evangelho aos descrentes e atender às necessidades das pessoas num nível muito material. Podemos resumir isso numa única palavra: a adoração aceitável é *dar.* É um amor que compartilha.

A dimensão interior. Uma segunda categoria de adoração envolve nosso comportamento pessoal. Efésios 5:8-10 diz: *Assim, andai como filhos da luz (pois o fruto da luz está em toda bondade, justiça e verdade), procurando saber o que é agradável ao Senhor.* A palavra *agradável* vem do termo grego que significa "aceitável". Neste contexto, refere-se a bondade, justiça e verdade, dizendo claramente que fazer o bem é um ato aceitável de adoração a Deus.

Paulo começa 1Timóteo 2 exortando para que os cristãos orem pelas pessoas investidas de autoridade de modo que os crentes possam ter *vida tranquila e serena, em toda piedade e honestidade.* O versículo 3 continua dizendo: *Isso é bom e agradável diante de Deus, nosso Salvador.*

Portanto, compartilhar é um ato de adoração, e esse é o efeito da adoração sobre os outros. Fazer o bem é igualmente um ato de adoração, e esse é seu efeito em nossa vida. Há outro relacionamento afetado por nossa adoração – o nosso relacionamento com Deus.

A dimensão ascendente. Esta terceira categoria, que resume maravilhosamente a adoração, é descrita em Hebreus 13:15,16. O versículo 15 diz: *Assim, por intermédio dele, ofereçamos sempre a Deus um sacrifício de louvor, que é fruto dos lábios que declaram publicamente o seu nome.* Quando analisamos a adoração em seu foco direcionado a Deus, descobrimos que sua essência é simplesmente ação de graças e louvor. Com o versículo 16, a passagem reúne todas as três categorias de adoração: *Mas não vos esqueçais de fazer o bem e de repartir com os outros, porque Deus se agrada de tais sacrifícios.*

Agradar a Deus, fazer o bem e compartilhar com os outros – todos são atos de adoração legítimos e bíblicos. Isso abarca toda atividade e todo relacionamento da vida humana. A implicação é que, assim como a Bíblia se dedica de capa a capa ao tema da adoração, o crente deve se dedicar à atividade de adoração, absorvido pelo desejo de dedicar cada momento de sua vida a *fazer o bem* a todos, a *compartilhar* as bênçãos com os vizinhos e a *louvar* a Deus, que é a fonte de toda bondade e toda bênção.

ADORAÇÃO EM TEMPO INTEGRAL

Nossa definição de adoração é enriquecida quando compreendemos que a verdadeira adoração atinge todas as áreas da vida. Devemos honrar e adorar a Deus em tudo.

Paulo faz uma declaração forte em Romanos 12:1,2 sobre o conceito de adoração em tempo integral. Essas suas palavras vêm depois do que possivelmente é a maior exposição de teologia de toda a Escritura. Aqueles onze primeiros capítulos são um tratado monumental, levando-nos da ira de Deus pela redenção da humanidade até o plano de Deus para Israel e a igreja. Todos os grandes temas da teologia da redenção estão ali presentes, e em resposta a eles encontramos as bem conhecidas palavras de Romanos 12:1,2.

Portanto, irmãos, exorto-vos pelas compaixões de Deus que apresenteis o vosso corpo como sacrifício vivo, santo e agradável a Deus, que é o vosso culto racional. E não vos amoldeis ao esquema deste mundo, mas sede transformados pela renovação da vossa mente, para que experimenteis qual seja a boa, agradável e perfeita vontade de Deus.

As compaixões de Deus fazem referência ao que Paulo descreve nos onze primeiros capítulos. O tema desses capítulos é a obra misericordiosa de Deus de salvação em nosso favor. Ao longo de onze capítulos de doutrina, Paulo define a vida cristã e todos os seus benefícios. E então ele diz que nossa única reação adequada ao que Deus fez por nós, e o ponto de partida para uma adoração aceitável e espiritual, é nos apresentarmos como sacrifício vivo.

Em 1Pedro, a mesma verdade básica é reiterada. No capítulo 1, Pedro apresenta uma completa e preciosa declaração do que Cristo fez por nós (v. 2-5):

> Graça e paz vos sejam multiplicadas.
>
> Bendito seja o Deus e Pai de nosso Senhor Jesus Cristo, que nos regenerou para uma viva esperança, segundo a sua grande misericórdia, pela ressurreição de Jesus Cristo dentre os mortos, para uma herança que não perece, não se contamina nem se altera, reservada nos céus para vós, que sois protegidos pelo poder de Deus, mediante a fé, para a salvação preparada para se revelar no último tempo.

Observe a resposta a isso no capítulo 2, versículo 5: *Vós também, como pedras vivas, sois edificados como casa espiritual para serdes sacerdócio santo, a fim de oferecer sacrifícios espirituais aceitáveis a Deus, por meio de Jesus Cristo.* O argumento de Pedro é idêntico ao de Paulo: por causa do que Deus fez por nós, devemos nos ocupar em oferecer sacrifícios espirituais de adoração.

Outra passagem do Novo Testamento que se compara a Romanos 12:1,2 é Hebreus 12:28,29. O versículo 28 diz: *Por isso, recebendo um reino inabalável* [novamente ele trata do que Deus fez por nós], *sejamos gratos e, dessa forma, adoremos* [a palavra é uma forma de *latreuo*] *a Deus de forma que lhe seja agradável, com reverência e temor.* Nossa resposta plena a Deus, nossa maior prioridade e a única atividade que importa, é a adoração pura e aceitável a ele.

A ORDEM DE PRIORIDADES

A Palavra de Deus confirma repetidas vezes a prioridade suprema da adoração. O capítulo 11 de Hebreus contém uma lista de heróis da fé do Antigo Testamento. O primeiro da lista é Abel. Sua vida reflete uma só palavra: *adoração.* O único assunto dominante na história de Abel é que ele foi um verdadeiro adorador; sua adoração estava de acordo com a vontade e o plano de Deus, e sua oferta foi aceita por Deus. Isso é tudo o que sabemos sobre a vida dele.

A segunda pessoa em Hebreus 11 é Enoque, que também pode ser identificado com uma única palavra: o verbo *andar.* Enoque andou com Deus; ele viveu uma vida piedosa, fiel e dedicada. Um dia ele andou da terra para o céu!

O terceiro da lista é Noé. Quando pensamos em Noé, a palavra que vem à nossa mente é *trabalho.* Ele passou 120 anos construindo a arca. Isso é trabalho – o trabalho da fé.

Há uma ordem em Hebreus 11 que vai além da cronologia. É uma ordem de prioridades: primeiro adorar, depois andar e então trabalhar. É a mesma ordem que vemos na organização do acampamento de Israel em torno do tabernáculo. Os sacerdotes, cuja função era conduzir o povo na adoração, ficavam acampados imediatamente em torno do tabernáculo. Além deles estavam os levitas, cuja função era o serviço. As posições ilustravam que a adoração deveria ser a atividade central, e o serviço era secundário.

A mesma ordem era construída na Lei. Moisés estabeleceu exigências de idade para ministérios diferentes. De acordo com Números 1:3, um jovem israelita podia servir como soldado quando tivesse 20 anos. Números 8:24 diz que um levita podia começar a trabalhar no tabernáculo quando completasse 25 anos. Mas Números 4:3 informa que, para ser sacerdote e conduzir o povo em adoração, o homem deveria ter 30 anos. A razão é simples: liderar a adoração requer o mais alto nível de maturidade, porque, como prioridade suprema na ordem divina, a adoração alcança a maior importância.

Vemos a mesma ordem nas atividades dos anjos. No capítulo 6 de Isaías, o profeta descreve sua visão:

> No ano em que morreu o rei Uzias, eu vi o Senhor assentado sobre um alto e sublime trono, e as abas do seu manto enchiam o templo. Acima dele havia serafins; cada um tinha seis asas; com duas cobriam o rosto, com duas cobriam os pés e com duas voavam. E clamavam uns aos outros: Santo, santo, santo é o SENHOR dos Exércitos; toda a terra está cheia da sua glória. (v. 1-3)

Os serafins são uma classe de seres angelicais associados à presença de Deus. É particularmente interessante notar que, de suas seis asas, quatro estão relacionadas à adoração e somente duas ao serviço. Elas cobrem os pés para proteger a santidade de Deus; e cobrem o rosto porque não podem olhar diretamente para a glória de Deus. Com as duas asas restantes, eles podem voar e cuidar de qualquer atividade que seu serviço exija.

O ministério deve ser mantido em perspectiva. A. P. Gibbs observou corretamente que o ministério é aquele que desce do Pai pelo Filho no poder do Espírito Santo por intermédio do instrumento humano. A adoração começa no instrumento humano e sobe pelo poder do Espírito Santo por intermédio do Filho até o Pai.[1]

No Antigo Testamento, o profeta, que era um ministro da Palavra de Deus, falava ao povo sobre Deus. O sacerdote, que liderava a adoração, falava a Deus sobre o povo. A adoração é o equilíbrio perfeito para o ministério, mas a ordem de prioridade começa com a adoração, não com o ministério.

---

[1] GIBBS, A. P. *Worship*. Kansas City: Walterick, s. d., p. 13.

Lucas 10:38-42 traz o conhecido relato da visita de Jesus a Maria e Marta:

> Prosseguindo viagem, Jesus entrou num povoado; e uma mulher chamada Marta recebeu-o em casa. Sua irmã, chamada Maria, sentando-se aos pés do Senhor, ouvia a sua palavra. Marta, porém, estava atarefada com muito serviço; e, aproximando-se, disse: Senhor, não te importas que minha irmã me tenha deixado sozinha com o serviço? Dize-lhe que me ajude. E o Senhor lhe respondeu: Marta, Marta, estás ansiosa e preocupada com muitas coisas; mas uma só é necessária; e Maria escolheu a boa parte, e esta não lhe será tirada.

A adoração é fundamental (nas palavras de Jesus, a única necessária), e o serviço é um maravilhoso e necessário resultado da adoração. Ela está no centro da vontade de Deus – a grande condição *sine qua non* de toda experiência cristã.

Jesus ensinou lição semelhante, novamente na casa de Maria e Marta. O irmão delas, Lázaro, a quem Jesus havia ressuscitado dentre os mortos, estava lá.

> Ofereceram-lhe ali um jantar. Marta servia, e Lázaro era um dos que estavam à mesa com ele. Então Maria, tomando um frasco de bálsamo de nardo puro, de alto preço, ungiu os pés de Jesus e os enxugou com os cabelos. E a casa se encheu com o perfume do bálsamo. Mas Judas Iscariotes, um dos discípulos, o que haveria de traí-lo, disse: Por que este bálsamo não foi vendido por trezentos denários, e o dinheiro, dado aos pobres? Ele disse isso não porque se preocupasse com os pobres, mas porque era ladrão. Como responsável pela bolsa de dinheiro, retirava do que nela se colocava. Então Jesus lhe respondeu. Deixa-a em paz; pois ela o guardou para o dia da preparação do meu corpo, para o meu sepultamento. Pois sempre tereis os pobres convosco; mas a mim nem sempre tereis. (João 12:2-8)

O que Maria fez foi algo humilhante. O cabelo de uma mulher era sua glória; e os pés de um homem, sujos de poeira e lama das estradas, não eram a glória de ninguém. Usar tal unguento caríssimo (o salário de um ano) parecia um incrível desperdício aos pragmáticos. Observe que eles foram representados por Judas. Jesus os repreendeu por essa atitude. O ato de Maria foi uma adoração sincera, e Jesus a elogiou por compreender a prioridade suprema.

COMO ESTAMOS AGINDO?

Tragicamente, o elemento de adoração está significativamente ausente em meio a toda a atividade que se realiza na igreja! Há vários anos li a notícia de uma festa de batismo num bairro rico de Boston. Os pais haviam aberto sua pomposa residência aos amigos e parentes, que tinham vindo para celebrar o maravilhoso evento. Quando a festa estava acontecendo e as pessoas usufruíam de um momento agradável comendo, bebendo e se divertindo, alguém disse: "A propósito, onde está o bebê?"

O coração da mãe estremeceu e, no mesmo instante, ela saiu da sala e entrou às pressas no quarto principal, onde ela deixara o bebê dormindo no meio da cama enorme. O bebê estava morto, sufocado pelos casacos dos convidados.

Somos grandes no ministério e pequenos na adoração.
Somos desastrosamente pragmáticos.

Tenho pensado com frequência sobre como o Senhor Jesus Cristo é tratado na própria igreja dele. Ele é quase sempre descuidadamente negligenciado por aqueles que supostamente o celebram, e o resultado é a catástrofe espiritual. Muito do que é feito em nome da adoração hoje na realidade desonra Cristo.

Temos muitas atividades e pouca adoração. Somos grandes no ministério e pequenos na adoração. Somos desastrosamente pragmáticos. Só queremos saber se algo funciona. Queremos fórmulas e efeitos e no processo, de certo modo, deixamos de lado aquilo para o qual Deus nos chamou.

Somos Martas demais e Marias de menos. Estamos tão profundamente enraizados no fazer que perdemos o estar. Estamos tão programados, informados, planejados e ocupados que menosprezamos a adoração! Temos nossos empregados, nossas promoções, nossos objetivos, nossos esforços até caprichosos, tradicionalistas e orientados para o sucesso. Mas, é verdade, o culto espiritual aceitável muitas vezes nos escapa.

A. W. Tozer, de forma memorável, chamou a adoração de "a joia ausente da igreja". Se ele ainda estivesse conosco, tenho certeza de que reiteraria essa declaração sem hesitar. Pela maioria das estimativas, existem mais de 300 mil igrejas na América do Norte que valem mais de 100 bilhões de dólares em instalações ostensivamente dedicadas à adoração a Deus. Mas quanto ocorre de verdadeira adoração?

Um famoso explorador estava realizando uma viagem difícil pela selva amazônica. Membros de uma tribo nativa carregavam seus grandes fardos, e ele os tentava motivar para cobrir longo trecho rapidamente. Ao final do terceiro dia, eles descansaram, e de manhã, na hora de embarcar novamente, os nativos se sentaram no chão ao lado dos fardos. O explorador tentou tudo o que podia para fazê-los caminhar, mas eles não saíam do lugar. Finalmente, o chefe lhe disse: "Meu caro amigo, eles estão descansando até que a alma de cada um deles envolva seu corpo".

Eu gostaria que isso estivesse acontecendo na igreja.

A adoração, como a Palavra de Deus a descreve, é interna, sacrificial, ativa e produtiva. Isso não é absolutamente igual ao conceito que o mundo tem de adoração, todavia é o único tipo de adoração que Deus reconhece. É a forma mais pura de adoração – o tipo que sobe até Deus como doce aroma, o tipo que é expresso continuamente em cada aspecto de nossa vida ao compartilhar com outros, praticar boas obras e oferecer louvor a Deus. Esse é o tipo de adoração que Deus deseja. É a adoração em seu sentido mais profundo e mais espiritual.

CAPÍTULO QUATRO

SALVOS PARA ADORAR

A adoração não é opcional. Em Mateus 4:10, respondendo à tentação de Satanás, Jesus citou Deuteronômio 6:13: *Ao Senhor teu Deus adorarás e só a ele prestarás culto*. Ao dizer isso a Satanás, ele ampliou a ordem a todos os seres criados. Todos são responsáveis para adorar a Deus.

O fundamento sobre o qual se baseia a verdadeira adoração é a redenção. O objetivo supremo na salvação dos pecadores é a eterna manifestação da glória de Deus: *para mostrar nos séculos vindouros a suprema riqueza da sua graça, pela sua bondade para conosco em Cristo Jesus* (Efésios 2:7). A adoração, é claro, não apenas magnifica a glória de Deus; é a nossa resposta apropriada *para o louvor da glória da sua graça, que nos deu gratuitamente no Amado* (Efésios 1:6). Assim, no grande plano da redenção, uma das principais coisas que Deus está fazendo é transformar pecadores em adoradores.

Jesus disse que o Filho do homem veio ao mundo *buscar e salvar o que se havia perdido* (Lucas 19:10).

Em outras palavras, a principal razão pela qual somos redimidos não é escaparmos do inferno – esse é um abençoado benefício, mas não o propósito maior. O objetivo central pelo qual somos redimidos não é nem mesmo podermos desfrutar das múltiplas bênçãos eternas de Deus. De fato, o motivo supremo de nossa redenção não está no fato de *nós* recebermos algo. Ao contrário, fomos redimidos para que Deus possa receber adoração – para que nossa vida possa glorificá-lo. *A ele seja a glória na igreja e em Cristo Jesus, por todas as gerações, para todo o sempre* (Efésios 3:21). Toda bênção pessoal que nos alcança é uma resposta divina ao cumprimento desse propósito supremo.

Paulo afirmou isso quando descreveu o propósito de evangelismo em Romanos 1:5: *Por meio dele recebemos graça e apostolado*, POR CAUSA DO SEU NOME, *a fim de conduzir todos os gentios para obediência da fé* (ênfase acrescentada).

João repete isso em 3João 7. Ele escreve que os missionários foram enviados para proclamar o evangelho *por causa do seu nome*. Nossa salvação é, acima de tudo, para o benefício de Deus, não o nosso.

Isso certamente não significa que não exista bênção na salvação do crente. Existe muita. E existe um lugar para segurar na orla das vestes de Cristo e se recusar a soltar até que ele nos abençoe. Mas essas bênçãos não são benefícios adicionais – não são o objetivo principal. Devemos procurar glorificar a Deus antes de buscar qualquer coisa dele.

> *A principal atividade de Deus sempre foi procurar verdadeiros adoradores.*

Preocupar-se primeiramente com as bênçãos é experimentar a salvação de maneira superficial e egoísta. Jesus censurou essa atitude em Mateus 6:33, quando disse: *Mas buscai primeiro o seu reino e a sua justiça, e todas essas coisas vos serão acrescentadas.*

Encontramos nas Escrituras a confirmação desta verdade básica de que a principal atividade de Deus sempre foi procurar verdadeiros adoradores. A Bíblia ensina que toda a história culminará no céu, onde a totalidade do domínio eterno ressoará em adoração: *Aleluia! A salvação, a glória e o poder pertencem ao nosso Deus, pois seus juízos são verdadeiros e justos [...] Aleluia! [...] Louvai o nosso Deus, vós todos os seus servos, e vós que o temeis, tanto pequenos como grandes* (Apocalipse 19:1-5). O único propósito de estarmos no céu é que devemos adorar a Deus correta e eternamente. Nós, juntamente com os redimidos de todos os tempos, somos salvos para aquele glorioso e interminável fim.

COMO FOI NO PRINCÍPIO

Na eternidade passada, antes da criação da humanidade, antes da formação da terra, a adoração já acontecia. Referindo-se aos anjos, Neemias 9:6 diz: *Os exércitos do céu te adoram.* Essa é sua atividade atual e assim tem sido desde sua criação.

Quando foram criados e colocados neste mundo, Adão e Eva também adoravam a Deus. Eles andavam e conversavam com Deus no jardim. Ambos lhe obedeciam com lealdade inquestionável. O pecado veio porque eles abandonaram a adoração pura ao seguirem o conselho de Satanás claramente contrário ao mandamento de Deus. Sua obediência incondicional a Deus foi rompida. Assim que eles honraram a palavra de Satanás, e não a palavra de Deus, cessaram de adorar a Deus e foram amaldiçoados (Gênesis 3:1-6).

A primeira divisão registrada entre a descendência de Adão veio entre Caim e Abel, e o conflito estava na maneira como eles adoravam. Caim fez uma oferta inaceitável a Deus, e Abel fez uma oferta aceitável. Caim ficou com inveja da aceitação do seu irmão por Deus, por isso o matou (Gênesis 4:3-8).

A REDENÇÃO NO ANTIGO TESTAMENTO

Estava claro nos tempos do Antigo Testamento que as pessoas eram redimidas para adorar. O êxodo de Israel do Egito é a grande ilustração no Antigo Testamento sobre a redenção. Após a libertação do Egito, toda a nação perambulou durante quarenta anos pelo deserto do Sinai até que uma geração inteira morreu – e tudo aconteceu porque eles fracassaram em adorar a Deus adequadamente em resposta à redenção. Eles escolheram seguir o próprio caminho em vez de seguir o caminho de Deus, e isso demonstrou ser o caminho de morte. A geração, incluindo Moisés, foi culpada de rebelião e ficou fora da terra prometida.

Antes que a geração seguinte finalmente entrasse na terra, Moisés lhes deu instruções para a festa das primícias, que deveria ser uma lembrança da importância da adoração verdadeira e aceitável como resposta à redenção provida por Deus. Deuteronômio 26:8,9 registra as palavras a serem usadas no ritual: *E o Senhor nos tirou do Egito com mão forte e braço estendido, com atos grandiosos e impressionantes, com sinais e maravilhas; ele nos trouxe a este lugar e nos deu esta terra, terra que dá leite e mel.* Era uma proclamação afirmando que Deus os tinha redimido. Observe no versículo 10 a resposta a isso: *E agora te trago as primícias dos frutos da terra que me deste, ó*

Senhor. *Então as depositarás diante do* Senhor, *teu Deus, e o adorarás.* Uma vez que os israelitas tivessem entrado na terra, eles deveriam apenas seguir uma fórmula simples para terem garantida a bênção de Deus: adorá-lo de forma aceitável.

Neemias registra um grande avivamento que aconteceu sob o ministério de Esdras. O povo se arrependeu, jejuou, orou, confessou seus pecados e adorou a Deus em conjunto. Um dia inteiro foi gasto na leitura pública da Palavra de Deus e na confissão de pecados. Durante esse reavivamento, os levitas conduziram a adoração pública anunciando o que Deus tinha feito pela nação ao longo de sua história. Neemias 9 é um registro da prestação de contas do povo quanto aos tempos de bênção, bem como os tempos de punição. Um padrão distinto emerge na história de Israel quando os levitas viram isso. Invariavelmente, quando o povo estava adorando a Deus de forma adequada, Deus os abençoava. Mas, quando eles deixavam de adorar a Deus como ele queria ser adorado, o povo era punido.

A ADORAÇÃO E A CRUZ DE CRISTO

A vida e a obra de Jesus Cristo estão indissoluvelmente ligadas à adoração. Durante seu ministério terreno, ele ensinou pelo exemplo e ordenou a importância da verdadeira adoração. Até mesmo sua morte foi uma lição do significado e da importância da adoração.

O salmo 22 é uma maravilhosa visão profética da crucificação de Cristo, começando com a conhecida frase proferida pelo Senhor na cruz: *Deus meu, Deus meu, por que me desamparaste.* O salmo contém várias profecias que foram cumpridas na morte do nosso Senhor:

> Mas eu sou um verme e não um homem, alvo de zombaria dos homens e desprezado pelo povo. Todos os que me veem zombam de mim, mexem os lábios e balançam a cabeça, dizendo: Ele confiou no Senhor. Que ele o livre e o salve, pois ele quer o seu bem. [...]
> Abrem a boca contra mim, como um leão que despedaça e ruge. Como água me derramei, e todos os meus ossos se deslocaram;

meu coração é como cera, derreteu-se dentro de mim. Minha força secou como um caco de barro, e a língua grudou-se no céu da boca; tu me lançaste no pó da morte. Pois cães me rodeiam; um bando de malfeitores me cerca; perfuraram-me as mãos e os pés. Posso contar todos os meus ossos. Eles me olham, ficam a me observar. Repartem entre si minhas roupas e tiram sortes sobre a minha túnica. (v. 6-8,13-18)

Qual a finalidade da morte de Cristo? Qual o propósito? Nos versículos 22 e 23 há uma virada no texto:

Então anunciarei teu nome aos meus irmãos; eu te louvarei no meio da assembleia. Vós, que temeis o Senhor, louvai-o! Todos vós, filhos de Jacó, glorificai-o! Temei-o todos vós, descendência de Israel!

Qual é a resposta certa à morte de Cristo em nosso favor? É louvor. É glória. É santo temor. O salmista continua:

O meu louvor na grande assembleia vem de ti; cumprirei meus votos na presença dos que o temem. Os humildes comerão e ficarão satisfeitos; e os que buscam o Senhor o louvarão. Que o vosso coração viva eternamente! Todos os confins da terra se lembrarão e se converterão ao Senhor, e todas as famílias das nações se prostrarão diante dele. (v. 25-27)

A adoração, então, é a essência da questão. A resposta adequada – a única resposta correta – à morte salvadora de Cristo, é a profunda expressão da verdadeira adoração.

RESPOSTA AO MESSIAS

Uma análise no final da profecia de Isaías no capítulo 66, quando ele vê o notável fruto da obra do Messias, revela a mesma perspectiva. O profeta diz no versículo 22: *Assim como os novos céus e a nova terra que farei durarão*

SALVOS PARA ADORAR

diante de mim, assim a vossa posteridade e o vosso nome durarão. Essa é uma promessa de redenção.

No versículo seguinte, ao prever o novo céu e a nova terra, Isaías escreve: *E acontecerá que toda a humanidade virá adorar diante de mim, desde uma lua nova até a outra, e desde um sábado até o outro, diz o* SENHOR. Este é o objetivo da consumação da obra do Messias: adoração!

Agora vamos nos voltar para o Novo Testamento. O Messias chegou, e a impressionante resposta a ele foi a adoração. Mateus a descreve de forma maravilhosa.

A resposta dos magos – a resposta inicial a Cristo – foi adoração. *Quando entraram na casa, viram o menino com Maria, sua mãe, e, prostrando-se, o adoraram* (Mateus 2:11).

Em Mateus 8:2 encontramos um incidente emocionante: *Então veio um leproso e, ajoelhando-se* [proskuneo, literalmente, "adorando-o"], *disse: Senhor, se quiseres, podes purificar-me.* Aqueles a quem Jesus ofereceu ajuda o adoraram. Até mesmo os enfermos, os cegos e os coxos responderam a ele com louvor e adoração.

Em Mateus 9:18, Jesus estava falando sobre a maravilhosa realidade da nova aliança e, *enquanto ainda lhes dizia essas coisas, chegou um dos chefes da sinagoga e, ajoelhando-se* [proskuneo], *disse: Minha filha acaba de morrer, mas vem, impõe-lhe a mão, e ela viverá.*

Em Mateus 14:33, encontramos Jesus reunido com os discípulos. Quando o Mestre andou sobre a água, acalmou o coração deles, o vento cessou e *então os que estavam no barco o adoraram, dizendo: Verdadeiramente tu és o Filho de Deus.*

Mateus 15:25 fala sobre uma mulher cananeia que *veio e, prostrando-se* [proskuneo] *diante dele, disse: Senhor, socorre-me!*

Em seus últimos dias aqui na terra, nosso Senhor foi a uma montanha com seus discípulos. Num dos versículos finais do seu evangelho, Mateus escreve: *Quando o viram, adoraram-no* (28:17).

É claro que nem todos esses incidentes ilustram a pura e aceitável adoração em espírito e em verdade, mas essa breve pesquisa de Mateus é representativa da reação normal a Cristo. De maneira aceitável ou não, as pessoas o adoraram.

O evangelho de João também examina o tema da adoração ao longo de seus capítulos. João 2 relata a entrada de Jesus em Jerusalém. Ele foi primeiro ao templo, preparou um chicote e limpou o templo. Por que Jesus fez isso? Porque Deus mandou seu Filho ao mundo para levar à presença dele os verdadeiros adoradores. E um de seus primeiros atos foi expulsar os falsos.

No capítulo 3 encontramos o primeiro dos verdadeiros adoradores no evangelho de João – Nicodemos. No capítulo 4, Jesus diz à mulher junto ao poço que o Pai procura verdadeiros adoradores.

ADORAÇÃO SEM FIM

Você poderia acompanhar o tema por todo o Novo Testamento até o livro de Apocalipse, onde encontramos a eterna adoração universal a Deus. Na visão do fim dos tempos que João descreve no livro, ele se concentra repetidas vezes em atos de adoração que ocorrem, e podemos inferir que esses atos deixaram uma profunda impressão no apóstolo.

Em Apocalipse 5:13,14 João escreveu:

> Também ouvi todas as criaturas que estão no céu, na terra, debaixo da terra, no mar e tudo que neles existem, dizerem: Ao que está assentado no trono e ao Cordeiro sejam o louvor, a honra, a glória e o domínio pelos séculos dos séculos! E os quatro seres viventes diziam: Amém. Os anciãos também se prostraram e adoraram.

João também escreveu:

> O sétimo anjo tocou a sua trombeta, e surgiram no céu fortes vozes, que diziam: O reino do mundo passou a ser de nosso Senhor e de seu Cristo, e ele reinará pelos séculos dos séculos. Os vinte e quatro anciãos que estavam assentados em seus tronos diante de Deus prostraram-se sobre o rosto e adoraram a Deus, dizendo: Graças te damos, Senhor Deus Todo-poderoso, que és e que eras, porque assumiste teu grande poder e começaste a reinar. (Apocalipse 11:15-17)

Vi outro anjo, que voava pelo meio do céu e trazia um evangelho eterno para proclamar aos habitantes da terra e a toda nação, tribo, língua e povo, proclamando em alta voz: Temei a Deus e dai-lhe glória; porque a hora do seu juízo chegou. Adorai aquele que fez o céu, a terra, o mar e as fontes das águas. (Apocalipse 14:6,7)

Observe que a mensagem do anjo é chamada de "evangelho eterno". Qual é a mensagem eterna? *Temei a Deus e dai-lhe glória* [...]. *Adorai aquele que fez o céu e a terra.*

João também registra as palavras da multidão que saiu vitoriosa sobre a besta: *Senhor, quem não te temerá e não glorificará o teu nome? Pois só tu és santo; por isso todas as nações virão e se prostrarão diante de ti* (Apocalipse 15:4).

E também se refere ao comportamento dos anciãos e das criaturas viventes: *Então, os vinte e quatro anciãos e os quatro seres viventes prostraram-se e adoraram a Deus, que está assentado no trono, dizendo: Amém. Aleluia!* (Apocalipse 19:4).

A seguir, João relata um incidente pessoal: *Então, lancei-me a seus pés para adorá-lo* [o anjo], *mas ele me disse: Olha, não faças isso; sou conservo teu e de teus irmãos, que têm o testemunho de Jesus: Adora a Deus* (Apocalipse 19:10). Posteriormente em sua visão, João ficou tão impressionado novamente que se prostrou para adorar o anjo e obteve a mesma resposta. O anjo disse: *Olha, não faças isso, porque eu sou conservo teu e de teus irmãos, os profetas, e dos que guardam as palavras deste livro. Adora a Deus* (Apocalipse 22:9).

Adorar a Deus é o tema das Escrituras, o tema da eternidade e o tema da história da redenção.

Adorar a Deus. Esse é o evangelho eterno, a mensagem que Deus concedeu de eternidade a eternidade. É o tema das Escrituras, o tema da eternidade e o tema da história da redenção – adorar o verdadeiro e glorioso Deus vivo. Antes da criação, ao longo de toda a história e até a eternidade futura, a adoração é o tema, o assunto central, o verdadeiro propósito e a prioridade suprema para a qual tudo foi criado.

QUEM PODERÁ SUBIR AO MONTE DO SENHOR?

O texto de Salmos 24:3-6 nos dá o que talvez seja a mais fascinante descrição do Antigo Testamento a respeito de um adorador aceitável:

> Quem subirá ao monte do Senhor, ou quem poderá permanecer no seu santo lugar? Aquele que é limpo de mãos e puro de coração; que não entrega sua vida à mentira, nem jura com engano. Esse receberá bênção do Senhor e a justiça do Deus que lhe dá salvação. Assim é a geração dos que buscam, dos que buscam tua presença.

Quem tem o direito de entrar na presença de Deus? Quem tem o direito de se aproximar? Os que o buscam com mãos limpas e coração puro; isto é, os que adoram a Deus de forma aceitável. E quem são os que adoram a Deus de forma aceitável? Os que recebem justiça de Deus. Isso se refere a crentes que receberam a justiça de Deus por atribuição (Romanos 4:3-6) – pessoas que foram justificadas pela fé.

Essas duas coisas – justificação perante Deus e a verdadeira adoração – são inseparáveis. Ninguém se torna um verdadeiro adorador sem primeiro ser justificado. E toda pessoa que é verdadeiramente justificada *tornar-se-á* uma verdadeira adoradora. Jesus disse: *Aquele a quem se perdoa pouco, este ama pouco* (Lucas 7:47). O inverso é igualmente verdadeiro: quando um pecador compreende e crê que Deus perdoou-lhe a culpa por todo pecado, essa pessoa invariavelmente responderá com o mais sincero louvor e gratidão. É por isso que, uma vez verdadeiramente tendo crido, terminamos com o pecado desenfreado, com a religião superficial e com os falsos deuses. Passamos a adorar o Deus vivo e verdadeiro. Quem se recusa a abandonar os falsos deuses ou a se desviar de seus pecados favoritos, não começou realmente a compreender a verdade do evangelho. Esse não é um verdadeiro adorador.

Em outras palavras, a maneira como você adora revela o seu destino, porque, se a vida de Deus estiver verdadeiramente em você, ela se manifestará em sincero louvor. Como e a quem você adora também revelam os verdadeiros pensamentos e intenções do seu coração. Aqueles cuja adoração é aceitável devem ter mãos limpas. Isto é, eles foram lavados – justificados, limpos da culpa e cobertos com a veste pura da justiça de Cristo. Eles têm um coração novo, por isso seus motivos, seus desejos e suas afeições se inclinam para o que é puro e virtuoso. Eles são abençoados porque fazem parte da geração que busca verdadeiramente a Deus (Salmos 24:6).

Ainda assim, é uma luta adorar como devemos. De fato, enquanto retivermos o remanescente da carne pecaminosa, nossa adoração nunca será tudo o que deveria ser. Nossos motivos estão misturados; nossa carne é fraca; nossa mente e nossas afeições tendem a divagar. Mas nós nascemos de novo espiritualmente. Nosso coração e nossa mente estão sendo renovados e santificados – conformados à imagem de Cristo (2Coríntios 3:18). Somos consagrados a Deus e à busca da sua glória. Por isso, vamos *prosseguindo, procurando alcançar aquilo para que também* [fomos] *alcança-do*[s] *por Cristo Jesus* (Filipenses 3:12). O redimido nunca abandonará essa busca porque não pode satisfazer-se verdadeiramente com uma adoração que esteja aquém do que a adoração a Deus deveria ser. É precisamente por isso que almejamos o céu.

Enquanto isso, os que não têm a mínima preocupação com a verdadeira adoração não desejam nada mais que a eterna condenação. Em Romanos 1, quando Deus acusa os pagãos do mundo por sua descrença, a principal razão para o julgamento contra eles é que eles não adoraram Deus de forma adequada. Preste atenção no que diz o texto:

> Pois a ira de Deus se revela do céu contra toda impiedade e injustiça dos homens, que impedem a verdade pela sua injustiça. Pois o que se pode conhecer sobre Deus é manifesto entre eles, porque Deus lhes manifestou. Pois os seus atributos invisíveis, seu eterno poder e divindade, são vistos claramente desde a criação do mundo e percebidos mediante as coisas criadas, de modo que esses homens são indesculpáveis; porque, mesmo tendo conhecimento de Deus, NÃO O GLORIFICARAM COMO DEUS, NEM LHE DERAM GRAÇAS; pelo contrário, tornaram-se fúteis nas suas especulações, e o seu coração insensato se obscureceu. (v. 18-21, ênfase acrescentada)

Aí, numa declaração muito simples, está a essência da atitude de Deus em relação ao pecador. A condenação do homem, diz Paulo, pode estar relacionada ao seu fracasso em honrar a Deus de forma adequada. Se adorar é a prioridade suprema, não adorar é a afronta suprema a Deus. De fato, a recusa em adorar a Deus de forma adequada está no centro de tudo o que é diabólico. Esta é a essência destilada de todo pecado.

TRANSFORMANDO PAGÃOS
EM ADORADORES

Como observamos, os que negligenciam (ou se recusam a) adorar a Deus de forma aceitável enfrentam consequências eternamente terríveis por essa omissão, porque nada é mais completamente diabólico do que deixar de dar a Deus a honra a ele devida.

Inversamente, os verdadeiros adoradores experimentam a bênção eterna de Deus, e é para esse fim que Deus nos salva.

A redenção pode ser vista, então, como a transformação do falso adorador num verdadeiro adorador. Se você está verdadeiramente salvo, você é um adorador aceitável. Se você é um adorador aceitável, você entrou na presença de Deus. Assim, ao examinar sua adoração, você pode compreender se é salvo ou não. A adoração se torna um teste da autenticidade da salvação.

Em João 4, Jesus usa a expressão *verdadeiros adoradores* para descrever todos os crentes. "Verdadeiro adorador" é equivalente a "cristão", ou "crente", ou "santo", ou "filho de Deus" – ou qualquer outro termo usado para descrever nossa união com Cristo. Talvez seja a mais apropriada de todas as expressões, porque captura o resultado da salvação em terminologia ativa, em vez de estática.

Nós somos verdadeiros adoradores que adoram o Pai em espírito e em verdade. Como crentes ainda *aguardando ansiosamente nossa adoção, a redenção do nosso corpo* (Romanos 8:23), nós não adoramos tão perfeitamente ou tão consistentemente como deveríamos; no entanto, somos verdadeiros adoradores. De fato, a adoração aceitável é a principal característica que distingue os crentes dos descrentes. A adoração é a primeira expressão visível da fé verdadeira.

Uma análise de 1Coríntios 14 ajudará nosso raciocínio neste ponto. Paulo escreveu aos crentes de Corinto sobre a importância da ordem em seus cultos, posicionando-se contra os excessos nas reuniões dos coríntios, particularmente com relação a línguas e dons espirituais. Ele os censurou quanto ao caos e à confusão que estavam ocorrendo em suas reuniões:

> Se, pois, toda a igreja se reunir num lugar e todos falarem em línguas, e entrarem pessoas não instruídas ou incrédulos, por acaso não dirão que estais loucos? Mas, se todos profetizarem, e alguma pessoa incrédula ou não instruída entrar, será por todos convencida de seu pecado e julgada. Os segredos do seu coração se tornarão manifestos. E assim, PROSTRANDO-SE, COM O ROSTO EM TERRA, ADORARÁ A DEUS, afirmando que, de fato, Deus está entre vós. (v. 23-25, ênfase acrescentada)

A MARCA DO CRENTE

Filipenses 3:3 contém o que pode ser a melhor definição de um cristão em qualquer lugar da Bíblia: *Porque nós é que somos a circuncisão, nós,* OS QUE SERVIMOS A DEUS EM ESPÍRITO, E NOS ORGULHAMOS EM CRISTO JESUS, E NÃO CONFIAMOS NA CARNE (ênfase acrescentada).

O que Paulo quer dizer com isso? Ele contrasta os cristãos autênticos com um grupo de falsos mestres legalistas que estavam perturbando os crentes gentios das regiões onde Paulo havia implantado igrejas. Frequentemente nos referimos a esse grupo de falsos mestres como "os judaizantes". Eles insistiam que o sinal da fé autêntica era uma marca física – a circuncisão. Na verdade, ensinavam que os gentios não podiam ser salvos, a menos que se convertessem primeiro ao judaísmo. Paulo lhes responde ensinando que o sinal do verdadeiro crente é espiritual, não carnal. Sob o judaísmo da antiga aliança, a circuncisão era a marca que identificava um membro da aliança. Mas qual é o sinal que distingue o crente da nova aliança? Aqui está a nossa marca. Eis como somos distinguidos: *nós, os que servimos a Deus em espírito, e nos orgulhamos em Cristo Jesus, e não confiamos na carne.*

A despeito do que muitas pessoas pensam nos dias de hoje, a marca distintiva da fé autêntica não é o *amor* – como se um tipo genérico de gentileza benevolente fosse exclusivo do cristianismo. Na verdade, a verdadeira marca do cristão genuíno é que ele adora a Deus em espírito. Todas as outras virtudes, incluindo o fruto do Espírito (Gálatas 5:22,23), têm suas raízes na adoração. O amor verdadeiro começa com o amor pelo Deus verdadeiro (1João 4:7,8). A plenitude de alegria se encontra somente em Cristo (João 15:11; 17:13). Não há paz verdadeira para os que não encontraram paz com Deus (Romanos 5:1). E assim por diante. A adoração em espírito e em verdade não é somente a marca real do cristão; é também a pedra de toque de qualquer outra virtude.

E QUANTO A VOCÊ?

Portanto, o cristão é um adorador de Deus. Ele não está preocupado com o que obtém, mas com o que dá. Ele não está apenas procurando bênção. Está oferecendo um sacrifício a Deus – o sacrifício de compartilhar, de dar corretamente e de louvar. A salvação é a base para a adoração, a chave que abre a porta e torna possível a adoração e transforma um adorador inaceitável num adorador aceitável .

Se você é redimido e não está agora adorando de forma aceitável, você nega exatamente aquilo para o qual foi redimido. Encare as seguintes perguntas: Você adora a Deus? Isso é um estilo de vida para você? As Escrituras apela para a adoração; o destino apela para a adoração; a eternidade apela para a adoração; os anjos apelam para a adoração. Nosso Senhor a ordena.

Você é um verdadeiro adorador?

CAPÍTULO CINCO

DEUS: ELE EXISTE? QUEM ELE É?

A adoração aceitável exige que o Deus verdadeiro seja conhecido. A adoração não pode ocorrer onde não se crê em Deus, onde ele não é adorado e obedecido. O objeto de nossa adoração deve ser certo, para que a nossa adoração seja aceitável. Precisamos considerar o Deus a quem adoramos.

A experiência de Paulo com os filósofos religiosos no Areópago em Atos 17 o levou ao clássico confronto com um caso de adoração inaceitável. Os gregos tinham um ídolo *AO DEUS DESCONHECIDO*. Paulo usou esse ídolo como ponto de partida para pregar-lhes sobre a adoração ao Deus verdadeiro. Em essência, ele lhes disse: "Vocês estão adorando em ignorância. Permitam-me falar sobre este Deus desconhecido. Ele pode ser conhecido. Não adianta absolutamente nada fazer conjecturas sobre quem ele é ou como adorá-lo".

Deus se revelou tão claramente a nós em sua Palavra e por meio de seu Filho que não temos desculpas para persistir na descrença. A fé, portanto – e mais especificamente, a fé em Deus como ele se revelou a nós – é o requisito fundamental para a verdadeira adoração. Hebreus 11:6 diz: *Sem fé é impossível agradar a Deus, pois é necessário que quem se aproxima de Deus creia que ele existe e recompensa os que o buscam.*

Esse versículo afirma dois fatos a respeito de Deus – que ele existe e que é possível conhecer algo de sua natureza. Sugere que o verdadeiro adorador deve ter esses dois pontos em mente.

Embora fosse incuravelmente cético quanto às religiões, o historiador Will Durant lutou com a futilidade de toda cosmovisão que deixa Deus de fora. Ele escreveu: "A maior questão do nosso tempo não é comunismo *versus* individualismo, nem Europa *versus* América, nem mesmo Oriente *versus* Ocidente; é se o homem pode suportar viver sem Deus".[1] Mesmo sendo um ateu declarado, Durant compreendeu que a maior questão de toda vida é a realidade de Deus.

O HOMEM CRIOU DEUS?

O céticos dizem que os cristãos simplesmente inventaram Deus. A religião, eles alegam, inventou explicações sobrenaturais para o que a mente humana não pode compreender, e realmente não existe uma realidade sobrenatural – Deus é uma criação humana.

Sigmund Freud, por exemplo, disse que o homem criou Deus. Isso, claro, é o contrário do que diz a Bíblia, que Deus criou o homem. Freud afirmou em seu livro *The Future of an Illusion*[2] que, pelo fato de o homem precisar desesperadamente de segurança, por causa de seus medos arraigados e porque vive num mundo ameaçador no qual tem pouquíssimo controle sobre as circunstâncias, ele inventou Deus para atender a suas necessidades psicológicas. O homem sente a necessidade de um meio invisível de apoio, mas Deus só existe na imaginação humana.

Essa ideia foi gerada por uma mente corrupta. É totalmente indefensável, todavia milhares de pessoas acreditaram nela. Demonstra uma visão simplista e ignorante das religiões do mundo. Quando a mente humana fabrica um deus, ele raramente é um deus que salva, que liberta. Os deuses inventados pelos humanos não se tornam psicologicamente apoiadores; são deuses opressivos que precisam ser continuamente aplacados. Quando, na Índia, uma mulher joga no rio Ganges seu bebê para que se afogue na esperança de aplacar algum deus, ela não vê esse deus como alguém que irá libertá-la de seus problemas. Seu deus é um ogro terrível. De fato, os falsos deuses são invenção humana, mas eles não são como o Deus verdadeiro, e de forma nenhuma negam a realidade do Deus verdadeiro.

---

[1] DURANT, Will. *On the Meaning of Life*. New York: Ray Long & Richard R. Smith, Inc., 1932, p. 23.
[2] FREUD, Sigmund. *O futuro de uma ilusão*. Porto Alegre: L&PM, 2010.

O homem não criou Deus – de fato, se a raça humana pudesse decidir, a maioria da humanidade preferiria que o Deus da Bíblia não existisse. A mente degenerada é uma suposta assassina de Deus. É inimiga de Deus, pois não está sujeita à lei de Deus, nem pode estar (Romanos 8:7). Consequentemente, todo pecador decaído faz tudo o que pode para eliminar o Deus verdadeiro. Ele inventa deuses falsos. Ele postula teologias que afirmam que Deus está morto. Ele inventa filosofias e estilos de vida que defendem que a própria ideia de um Deus é ridícula.

A maioria das pessoas nega a existência de Deus uma ou outra vez. Muitos que não são ateus filosóficos, são ateus práticos. Embora não rejeitem o conceito de Deus, vivem como se ele não existisse. Tito 1:16 descreve essas pessoas: *Eles afirmam que conhecem a Deus, mas o negam por suas obras; são detestáveis, desobedientes e incapazes de qualquer boa obra.*

A Bíblia pressupõe, ao invés de provar, a existência de Deus.

Essa tem sido a norma desde Adão e Eva. Imediatamente após terem pecado, eles se esconderam de Deus. Tentaram agir como se Deus não existisse, e a humanidade tem seguido esse mesmo padrão ao longo da história. O capítulo 1 de Romanos diz que, no fundo, todos sabem que Deus existe. O versículo 19 diz: *Pois o que se pode conhecer sobre Deus é manifesto entre eles.* Não somente eles têm algum conhecimento inato de Deus, mas a evidência da existência de Deus é claramente visível por toda parte que olharmos. O versículo 20 diz: *Pois os seus atributos invisíveis, seu eterno poder e divindade, são vistos claramente desde a criação do mundo.* Assim, todos começam a vida com um senso da existência de Deus e de sua evidência em toda parte. Mas, por causa do pecado, as pessoas deliberadamente suprimem o conhecimento de Deus. O versículo 21 diz: *tendo conhecido a Deus.* E o versículo 28 acrescenta: *Assim, por haver rejeitado o conhecimento de Deus.*

Freud está errado. Nós não inventamos Deus. O pecador não quer a existência de Deus. Se dependesse dele, Deus não existiria.

COMO PODEMOS TER CERTEZA DE DEUS?

A Bíblia pressupõe, em vez de provar, a existência de Deus. As Escrituras dizem o seguinte a respeito de Deus em Salmos 90:2: *Antes que os montes nascessem, ou que tivesses formado a terra e o mundo, sim, de eternidade a eternidade, tu és Deus.* Essa é a clássica afirmação doutrinária sobre Deus. Ela nos diz que Deus é o único Deus: *Tu és Deus.* Ela nos diz que Deus é o Deus eterno: *de eternidade a eternidade, tu és Deus.* Ela nos diz que Deus é o Deus criador: [Antes que] *tu tivesses formado a terra e o mundo.*

Como cristãos, nós aceitamos a verdade fundamental – Deus. Então tudo faz sentido. O ateu nega Deus e tem de aceitar explicações incríveis para todo o resto. É preciso mais fé para negar Deus do que para crer nele.

Os teólogos apresentam vários argumentos para a existência de Deus. A lógica não pode provar a existência de Deus, mas nos mostra claramente que existe mais razão para crer em Deus do que para *não* crer nele.

Uma razão lógica para aceitar a existência de Deus é o *argumento teológico*. Isso vem da palavra grega *teleos*, que significa "resultado perfeito", "final", ou "fim". Algo que é completado e feito de modo perfeito mostra evidência de um criador. Um projeto implica um projetista. Desmonte o seu relógio de pulso e coloque todas as peças em seu bolso. Você balançará a perna durante muito tempo antes que possa ouvir o tique-taque do relógio. Quando algo funciona, alguém o fez funcionar. Se você vê um piano, não presume que um elefante entrou numa árvore onde alguém estava sentado numa banqueta tocando harpa, e o marfim, a madeira e as cordas se juntaram e formaram um piano. O argumento teológico diz que a ordem no universo é a evidência de que uma inteligência suprema, Deus, o criou.

Um segundo argumento a favor de Deus é o *argumento estético*. Ele afirma que, por haver beleza e verdade, deve haver em algum lugar do universo um padrão no qual a beleza e a verdade se baseiam.

O *argumento volitivo* diz que, em razão do fato de a criatura humana enfrentar um grande número de escolhas e ter a capacidade de tomar decisões intencionais, deve haver em algum lugar uma vontade infinita, e o mundo deve ser a expressão dessa vontade.

O *argumento moral* diz que o fato de sabermos diferenciar o certo e o errado sugere a necessidade de um padrão absoluto. Se algo é certo e algo é errado, em algum lugar existe Alguém que determina qual é o quê.

O *argumento cosmológico* é o argumento de causa e efeito. Ele conclui que alguém fez o universo, porque todo efeito tem como origem uma causa. A causa do infinito deve ser infinita. A causa do tempo interminável deve ser eterna. A causa do poder deve ser onipotente. A causa do espaço ilimitado deve ser onipresente. A causa do conhecimento deve ser onisciente. A causa da personalidade deve ser pessoal. A causa da emoção deve ser emocional. A causa da vontade deve ser volitiva. A causa dos valores éticos deve ser moral. A causa dos valores espirituais deve ser espiritual. A causa da beleza deve ser estética. A causa da santidade deve ser santa. A causa da justiça deve ser justa. A causa do amor deve ser amorosa. A causa da vida deve ser viva.

Salmos 14:1 e 53:1 dizem: *O insensato diz no seu coração: Deus não existe.* Somente um insensato rejeitaria a evidência.

Mas apenas reconhecer a existência de um ser supremo não é suficiente. Einstein reconheceu uma força cósmica no universo, mas acreditava que Deus era incognoscível. Ele pensava em Deus como uma bateria cósmica flutuante, um tipo de grande corrente elétrica que em determinado momento descarregou e resultou no universo. Uma conhecida organização de autoajuda diz a seus membros: "Vocês devem ter um relacionamento com Deus *como percebem que ele é*". Isso é estupidez. A maneira como você entende Deus à parte da revelação dele nas Escrituras não tem nada que ver com o que Deus é na realidade.

DEUS É UMA PESSOA

Deus não é apenas uma força cósmica. Nossos atributos de emoção, intelecto e vontade não apenas aconteceram – Deus nos fez à sua imagem. Ele se revelou na Bíblia como uma pessoa. A Bíblia usa títulos pessoais para descrevê-lo. Ele é chamado de Pai. É descrito como um pastor. É chamado de irmão, amigo, conselheiro. As Escrituras usam pronomes pessoais para se referirem a ele.

Sabemos que Deus é uma pessoa porque ele pensa, age, sente, fala e se comunica. Todas as evidências da criação, todas as evidências das Escrituras, indicam que ele é uma pessoa.

DEUS É UM SER ESPIRITUAL

Deus é um Espírito. Isso significa que ele não existe num corpo que pode ser tocado e visto como acontece com o nosso corpo. Jesus disse: *Um espírito não tem carne nem ossos* (Lucas 24:39). Jesus afirmou ser essencial a compreensão dessas realidades básicas para a adoração aceitável: *Deus é espírito; e importa que os seus adoradores o adorem em espírito e em verdade* (João 4:24, ARA).

A espiritualidade de Deus significa que ele não pode ser reduzido a uma imagem física ou a uma simplificação teológica. Ele é um Espírito pessoal e deve ser adorado na plenitude da infinidade do seu eterno ser. No centro dessa verdade, está a percepção de que nada e ninguém se comparam a Deus. Isaías 40:18-26 explica o conceito:

> Quem podeis comparar a Deus? A que figura ele se assemelha? A um ídolo que o artesão funde e que o ourives cobre de ouro, forjando-lhe também correntes de prata? Ao ídolo do pobre? Ele não pode oferecer tanto, mas escolhe madeira que não apodrece e procura um artesão talentoso, para esculpir uma imagem que não se moverá.
>
> Por acaso não sabeis? Não ouvistes? Não vos foi dito isso desde o princípio? Não entendestes desde a fundação da terra? Ele é o que está assentado sobre o círculo da terra, cujos moradores são para ele como gafanhotos; ele é o que estende os céus como cortina e os desenrola como tenda para nela habitar. Ele é o que reduz os príncipes a nada e torna inúteis os juízes da terra. Mal são plantados e semeados, e mal firmam raízes na terra, ele sopra sobre eles, então secam e a tempestade os leva como se fossem palha. Diz o Santo: Com quem me comparareis? Com quem eu me assemelho? Levantai os olhos para o alto e vede: Quem criou estas coisas? Foi aquele

DEUS: ELE EXISTE? QUEM ELE É?

que faz sair o exército delas segundo o seu número; ele chama a todas pelo nome. Por ser ele grande em força e forte em poder, nenhuma delas faltará.

Em outras palavras, se você tenta reduzir Deus a algo diferente de um Espírito, algo que possa ser visto e tocado, o que você criará para representá-lo? Você pode fazer uma pintura dele? Pode esculpir uma imagem parecida com ele? Pode derreter prata e transformá-la numa estátua dele? O que fará para torná-la parecida com ele? Com o que você a comparará? Como você poderá representar Deus de forma adequada com um ídolo ou uma imagem? Você não pode. Ele é o Deus do universo e não pode ser esculpido em um pequeno pedaço de madeira.

Precisamos ter cuidado para não imaginarmos Deus em termos humanos. Números 23:19 diz: *Deus não é homem*. Quando a Bíblia fala sobre os olhos do Senhor, os braços do Senhor, e assim por diante, ela está usando o que chamamos de *antropomorfismo*. Esse termo vem de duas palavras gregas: *anthropos*, que significa "homem", e *morphae*, que significa "forma" ou "modelo". O antropomorfismo se refere a Deus em termos humanos para possibilitar nossa compreensão. Mas tais expressões não devem ser tomadas ao pé da letra.

A Bíblia usa figuras de linguagem para driblar nossa limitada compreensão, e precisamos ter cuidado para não insistirmos em interpretá-las de forma muito literal. Deus é um espírito, e não carne e sangue no sentido literal. De igual modo, a Bíblia fala a respeito das asas e das penas de Deus cobrirem seus filhos. Mas, da mesma forma, Deus não é um pássaro.

A primeira carta a Timóteo 1:17 se refere ao Senhor como o Deus invisível. João 1:18 diz: *Ninguém jamais viu a Deus.*[3] Ninguém deste lado do céu jamais verá a Deus. Deus se apresentou aos israelitas no Antigo Testamento através de uma coluna de nuvem e uma coluna de fogo, a glória do Senhor (*Shekinah*) no templo. Às vezes Deus se manifestou de maneiras

[3] A mesma declaração aparece também em 1João 4:18. [N. do R.]

especiais, como na sarça em chamas e por meio de visões. Mas essas manifestações não revelaram a real essência de Deus. Deus é espírito.

DEUS É UM

Deuteronômio 6:4 foi a chave para a revelação de Deus de si mesmo no Antigo Testamento: *Ouve, ó Israel: O Senhor, nosso Deus, é o único Senhor*. A verdade de que há um só Deus foi fundamental para a identidade hebraica e a distinção da nação israelita. Os israelitas, vivendo em meio a dezenas de culturas politeístas, estavam dizendo: "Há somente um Deus". Embora tivessem inicialmente se tornado uma nação enquanto viviam entre os egípcios (cujos muitos deuses eram levados a extremos ridículos), eles mantiveram a fé em Jeová como o Deus verdadeiro. Deus se revelara a eles como Deus único, e qualquer israelita que se atrevesse a adorar outro Deus era morto.

Jesus afirmou a importância da teologia monoteísta. Em Marcos 12, um escriba lhe perguntou qual era o principal dos mandamentos. Ele disse: *O principal é: Ouve, Israel, o Senhor nosso Deus é o único Senhor. Amarás o Senhor, teu Deus, de todo o coração, de toda a alma, de todo o entendimento e de todas as forças* (v. 29,30). Sem negar sua divindade, todavia reconhecendo ao mesmo tempo que existe somente um Deus, Jesus ensinou que o mandamento mais importante é prestar total obediência, de todo o coração, alma, mente e força ao único Deus verdadeiro.

O PAI E O FILHO SÃO UM

Em João 10:30, Jesus disse: *Eu e o Pai somos um*. Esta é uma reivindicação de absoluta igualdade com Deus; mas, ao mesmo tempo é uma reafirmação de que há apenas *um* Deus.

Paulo enfatizou a unidade e a igualdade do Pai e do Filho em sua primeira epístola aos Coríntios. Os coríntios viviam em uma sociedade pagã tipicamente politeísta. Havia ídolos por toda parte na cidade, e aqueles que os adoravam faziam oferendas de alimentos. Os sacerdotes dos templos dos ídolos operavam mercados, onde vendiam comida que sobrava das ofertas aos ídolos. Alguns crentes estavam comprando esses alimentos, talvez porque pudessem obtê-la por preço bem melhor do que o praticado em outros pontos comerciais.

Os cristãos que haviam sido salvos da adoração pagã estavam incomodados com aqueles que comiam alimento antes oferecido aos ídolos. Eles verificavam a refeição e se recusavam a comer se descobrissem que a comida tinha vindo de ofertas aos ídolos. Isso estava causando sérios problemas na comunidade, e Paulo escreveu o capítulo 8 de 1Coríntios para orientar como resolver a questão. O versículo 4 resume o ensino: *Portanto, quanto ao comer da carne sacrificada aos ídolos, sabemos que o ídolo no mundo não é nada, e não há outro Deus, senão um só*. O ídolo não é nada. Se a comida oferecida aos ídolos é a melhor pechincha da cidade, compre-a. Não fará a mínima diferença, espiritualmente. Um ídolo não é nada. E não há outro Deus, senão um só.

Paulo continua:

> Pois, ainda que existam os supostos deuses, seja no céu, seja na terra (assim como há muitos deuses e muitos senhores), no entanto, para nós há um só Deus, o Pai, de quem todas as coisas procedem e para quem vivemos; e um só Senhor, Jesus Cristo, pelo qual todas as coisas existem e por meio de quem também existimos. (v. 5,6)

Como podem todas as coisas proceder de Deus, o Pai, e todas as coisas existir do Senhor Jesus, e nós existirmos por meio de Deus e existirmos por meio do Senhor Jesus? Superficialmente, pode parecer uma complexa contradição, mas claramente Paulo está ensinando que Deus, o Pai, e Jesus Cristo são *um*. É outra afirmação da completa divindade de Jesus Cristo sem dividir Deus em partes.

O PAI E O ESPÍRITO SÃO UM

O Espírito Santo também é especificamente chamado de Deus. A Ananias, Pedro disse: *Por que Satanás encheu o teu coração, para que mentisses ao Espírito Santo e ficasses com uma parte do valor do terreno?* (Atos 5:3). E então, no versículo seguinte, ele esclarece: *Não mentiste aos homens, mas a Deus.* Se mentir ao Espírito Santo constitui mentir a Deus, segue-se necessariamente que o Espírito Santo é, de fato, Deus.

A primeira carta aos Coríntios 3:16 diz: *Não sabeis que sois o santuário de Deus?* E, como prova, o texto acrescenta: *e que o seu Espírito habita em vós?* No capítulo 6, o argumento vai mais longe. O versículo 19 diz: *O vosso corpo é santuário do Espírito Santo, que habita em vós.* E o versículo 20 traz ainda a exortação: *Por isso, glorificai a Deus no vosso corpo.* Isso equipara o Espírito Santo a Deus. Junto com dezenas de outros versículos (de fato, todo o ensino do Novo Testamento), esse texto revela esta verdade: o Espírito Santo é Deus.

DEUS É UMA TRINDADE

Como podemos conciliar o fato de as Escrituras ensinarem que o Pai é Deus, Jesus é Deus, e o Espírito Santo é Deus, e todavia haver somente um Deus? Todas essas verdades estão claramente ensinadas claramente nas Escrituras.

A resposta, claro, é a doutrina da Trindade. Deus é três pessoas distintas em uma substância indivisível. Nas palavras do *Credo atanasiano*, "o Pai é Deus, o Filho é Deus, e o Espírito Santo é Deus. Todavia, eles não são três Deuses, mas um só Deus".[4] "E nesta Trindade nenhum é antes ou depois do outro; nenhum é mais ou menos que o outro; mas todas as três pessoas são juntamente coeternas e coiguais. De modo que, em todas as coisas, a Unidade na Trindade e a Trindade na Unidade deve ser adorada."[5]

A maneira mais simples de perceber a Trindade é ler a Bíblia do começo ao fim. A palavra usada para Deus em Gênesis 1 é *Elohim*. É plural. O *im* no fim do substantivo em hebraico é como o *s* em português. As palavras iniciais de Gênesis poderiam ser traduzidas assim: "No princípio, Deus(es) [...]". O substantivo está no plural, todavia a referência é a um

---

[4] *Credo atanasiano* (Quicunque Vult), p. 15-16.
[5] Ibid., p. 25-27.

Ser singular. A descrição de Deus em todo o Antigo Testamento é claramente uma ideia singular. O verbo que acompanha a palavra *Elohim* em Gênesis 1:1 está também no singular.

A bênção que Deus deu a Moisés para os sacerdotes usarem parece aludir à Trindade. Três vezes eles tinham de invocar a bênção do Senhor. Números 6:24-26 a registra: *O Senhor te abençoe e te guarde; o Senhor faça resplandecer o seu rosto sobre ti e tenha misericórdia de ti; o Senhor levante sobre ti o seu rosto e te dê a paz.* A tríplice súplica ao Senhor sugere a Trindade.

Os serafins que Isaías viu e descreveu em Isaías 6 clamavam uns aos outros: *Santo, Santo, Santo* (v. 3). Novamente, parece ser uma alusão à natureza trinitária Deus.

Uma das mais claras referências do Antigo Testamento à Trindade é Isaías 48:16, um versículo profético citado por Jesus Cristo. O texto reúne os três membros da Trindade num único versículo: *E agora o Senhor Deus me enviou juntamente com o seu Espírito.*

Repetidas vezes o Novo Testamento faz referência ao Pai, ao Filho e ao Espírito Santo juntos na mesma passagem, no mesmo nível. Em Mateus 3 somos informados de Jesus sendo batizado, o Espírito Santo descendo como pomba e o Pai dizendo: *Este é o meu Filho amado, de quem me agrado* (v. 17). Em João 14:16,17, Jesus declara: *Eu rogarei ao Pai, e ele vos dará outro Consolador [...] o Espírito da verdade.* Jesus orientou seus discípulos a batizarem *em nome do Pai, do Filho e do Espírito Santo* (Mateus 28:19). Em 1Coríntios 12 o apóstolo Paulo explica: *Há diversidade de dons, mas o Espírito é o mesmo. Há diversidade de ministérios, mas o Senhor é o mesmo. E há diversidade de realizações, mas é o mesmo Deus quem realiza tudo em todos* (v. 4-6). O versículo final de 2Coríntios anuncia: *A graça do Senhor Jesus Cristo, o amor de Deus e a comunhão do Espírito Santo sejam com todos vós* (13:13). A primeira carta de Pedro 1 diz que os crentes são escolhidos *segundo a presciência de Deus Pai, pela santificação do Espírito, para a obediência e a aspersão do sangue de Jesus Cristo* (v. 2).

Deus é uno, todavia ele é três. Não tenho a mínima ideia de como explicar esse divino mistério para completa satisfação de todos, mas minha incompetência para dizê-lo de uma forma que responda às perguntas de todos não diminui minha fé em Deus ou minha convicção de que ele existe em três pessoas.

Deus é uno, todavia ele é três.

E está bem assim. A doutrina da Trindade permanece como uma lembrança perpétua de que não podemos compreender tudo o que Deus revelou a respeito de si mesmo. Tudo o que posso escrever sobre Deus, quando comparado com a totalidade de seus atributos, é como um grão de areia comparado a todas as praias, todas as montanhas e todos os planetas do universo. Para compreendermos Deus, precisaríamos ser intelectualmente iguais a Deus, mas ele não tem igual e não tolera a imprudente pretensão de ninguém que alega compreender as coisas melhor do que ele (Jó 40:6–41:34).

Durante séculos, os heréticos tentaram explicar a Trindade de várias maneiras. Sabélio disse que às vezes Deus aparece como o Espírito Santo; em outras, como o Filho; e, em outras, como o Pai – somente uma pessoa com três manifestações. Mas a Bíblia não apoia isso. Deus não é um artista que muda rapidamente de roupa. E, como já vimos, no batismo de Jesus, todas as três pessoas da Trindade se manifestaram ao mesmo tempo. Deus é um e é três exatamente no mesmo tempo.

Os pregadores têm tentado explicar a Trindade com ilustrações, dizendo que Deus é como um ovo com a gema, a clara e a casca; ou como a água, que pode ser gelo, líquido ou vapor; ou como a luz, que pode iluminar, aquecer e produzir energia. Mas todas essas ilustrações deixam a desejar. Deus não se parece com nada. Não existe uma lâmpada, um ovo ou um bloco de gelo no mundo igual a ele.

A Trindade é uma dessas verdades que é grande demais para a mente humana. Ela só pode frustrar quem a busca intelectualmente. Deus nos permitiu apenas um vislumbre dessa verdade, mas não podemos ter a esperança de compreendê-la em sua plenitude. Devemos crer pura e confiantemente.

DEUS É, E NÓS PODEMOS CONHECÊ-LO

A adoração tem como objetivo o Deus verdadeiro. Como vimos no primeiro capítulo, a adoração, independentemente de quão bela ou consistente ou bem-intencionada, é inaceitável se for dirigida a um falso deus.

Não há necessidade de erigir um altar *AO DEUS DESCONHECIDO*, porque Deus se tornou cognoscível. Ele se nos revelou especificamente em sua Palavra. Ele é uma pessoa, e nós podemos conhecê-lo pessoalmente. Ele é um espírito, e podemos conhecê-lo no mais profundo sentido espiritual. Ele é um, e não há competição entre ele e outros deuses. Ele é uma Trindade, operando como um em nosso favor. E ele é recompensador dos que o buscam em fé.

Para nossa adoração ser significativa, para ser aceitável, devemos procurar compreender Deus como ele se revelou a nós. O conhecimento íntimo da pessoa de Deus é talvez a maior motivação para a adoração verdadeira e transbordante de toda a vida. Quando começamos a conhecer Deus como ele é, nossa resposta precisa ser a de engrandecê-lo, dando-lhe glória por quem ele é e pelo que ele faz por nós.

CAPÍTULO SEIS

O DEUS IMUTÁVEL E ONIPOTENTE

Em Oseias 6:6 o Senhor diz: *Pois quero misericórdia e não sacrifícios; e o conhecimento de Deus, mais do que os holocaustos*. Esta afirmação eleva o conhecimento de Deus à posição de suprema importância. Significa que a verdadeira adoração não consiste em rituais e outras práticas exteriores (como sacrifícios, holocaustos e liturgia formal), mas se fundamenta na questão crucial de conhecer e amar o Deus verdadeiro. Mais que um ato externo ou cumprimento de uma regra tidos por nós como adoração, Deus deseja que o conheçamos. O conhecimento do verdadeiro Deus, então, provê a intimidade da adoração aceitável.

Provérbios 9:10 diz: *O temor do SENHOR é o princípio da sabedoria; e o conhecimento do Santo é o entendimento*. Ninguém é sábio até conhecer Deus; ninguém tem o menor entendimento até ter o conhecimento pessoal do Santo. Sem o conhecimento de Deus, toda adoração é inaceitável e, em última análise, nada difere da mais rude idolatria.

Quando pensamos em idolatria, normalmente imaginamos um pagão primitivo numa cabana de barro curvando-se para um pequeno deus no chão, ou visualizamos um templo pagão, bem construído e adornado com muito incenso fumegante. Mas a idolatria vai além da feitura de um falso deus. Fundamentalmente, a idolatria é ter a respeito de Deus pensamentos que não sejam verdadeiros ou que não lhe correspondam.

Nesse sentido, muitos evangélicos são culpados de idolatria. Fico horrorizado com o que alguns cristãos pensam que Deus é. Deus também ficou estarrecido quando disse em Salmos 50:21: *Na verdade, pensavas que eu era como tu; mas eu te interrogarei e colocarei tudo na tua presença*. Os cristãos de hoje rebaixaram Deus ao nível deles, roubando-lhe a majestade e a santidade. Isso é tão idólatra quanto adorar uma pedra.

Todavia, é exatamente isso o que muitos fizeram. Eles criam um falso deus à própria semelhança. O pensamento deles a respeito de Deus procede de sua imaginação e não tem nada que ver com quem Deus realmente é.

W. Tozer escreveu:

> A história da humanidade provavelmente mostrará que nenhum povo jamais se elevou acima de sua religião, e a história espiritual do homem demonstrará de forma positiva que nenhuma religião jamais foi maior que sua ideia de Deus. A adoração é pura ou desprezível, à medida que o adorador mantém pensamentos elevados ou baixos a respeito de Deus.
>
> Por essa razão, a questão mais séria perante a Igreja é sempre o próprio Deus, e o fato mais impressionante sobre qualquer homem não é o que ele em dado momento pode dizer ou fazer, mas o que ele, no fundo do coração, imagina que Deus é.[1]

A verdade fundamental na adoração, então, é a compreensão que o adorador tem de Deus.

Mas podemos compreender Deus? A Bíblia diz que podemos. Jamais podemos compreendê-lo completamente, como já vimos. Mas, certamente, podemos compreender verdades a respeito de Deus, porque ele se revelou a nós não apenas em sua criação, e sim, mais especificamente, em sua Palavra. É nosso dever compreender exatamente sua autorrevelação.

É também uma das maiores promessas das Escrituras que aqueles que o buscam o encontrarão (cf. Mateus 7:7). Deus prometeu: *Vós me buscareis e me encontrareis, quando me buscardes de todo o coração* (Jeremias 29:13). Salomão escreveu em Provérbios 2:3-5:

> Sim, se clamares por discernimento e levantares tua voz por entendimento; se o buscares como quem busca a prata e o procurares como quem procura tesouros escondidos; então entenderás o temor do Senhor e acharás o conhecimento de Deus.

---

[1] Tozer, A. W. *The Knowledge of the Holy*. New York: Harper & Row, 1961, p. 9.

A maneira certa de conhecer Deus e compreender toda a revelação sobre ele é fazer do seu conhecimento a busca principal de sua vida. Se você está dominado pela busca do dinheiro, se está dedicando sua vida à busca de sucesso, se está em busca de algo além do que o verdadeiro e exato conhecimento de Deus, jamais compreenderá profundamente a Deus ou verá sua glória.

A DIFICULDADE DE CONHECER DEUS

Ninguém compreende *perfeitamente* Deus. Desde o princípio, devemos confessar que Deus é incompreensível; ele não pode ser confinado nem mesmo à capacidade do maior intelecto humano; ele não pode ser limitado por nenhum tipo de definição humana. Embora ele tenha revelado a nós muito a respeito de si mesmo, tudo o que sabemos sobre Deus, nós o sabemos em termos mais primitivos.

Entramos em dificuldade quando tentamos tornar Deus parecido demais com o que conhecemos.

Entramos em dificuldade quando tentamos tornar Deus parecido demais com o que conhecemos. Quando usamos símbolos humanos para descrever Deus, precisamos nos lembrar de que ele é o padrão supremo, infinito, e não a cópia. Nenhuma metáfora pode explicar totalmente Deus. Por exemplo, entendemos o amor de Deus porque conhecemos o amor humano. Mas, quando o amor de Deus se comporta como o nosso amor, não devemos presumir que o amor de Deus seja falho. Isso é tornar o amor humano o padrão absoluto e julgar o amor de Deus de acordo com esse padrão.

É frequentemente mais fácil pensar em Deus de forma negativa. Vivemos num mundo tão oposto a Deus que quase sempre nos resta compreender quem Deus é dizendo quem ele *não* é, por ele ser diferente de tudo o que entendemos. Por exemplo, quando dizemos que Deus é santo, queremos dizer que ele não tem pecado. Não conseguimos conceber a essência da santidade absoluta – tudo o que temos experimentado é pecado. Não conseguimos compreender a eternidade ou o infinito, mas compreendemos limites, por isso dizemos que Deus não tem nenhuma limitação.

Outra dificuldade em compreender Deus é que os atributos de Deus que conhecemos não são todos os que existem. Um atributo de Deus é qualquer coisa verdadeira em relação a seu caráter. É claro: uma vez que Deus é infinito, deve haver uma verdade infinita a respeito dele.

Quando chegarmos no céu, Deus será muito mais para nós do que é agora.

Alguns atributos de Deus são mais fáceis para nossa compreensão que para a compreensão pelos anjos. A primeira carta de Pedro diz que os anjos gostariam de compreender as verdades da salvação, mas não compreendem. Eles não podem perceber a realidade do perdão como nós podemos, porque nunca tiveram essa experiência. Os anjos que caíram foram amaldiçoados; os que não caíram não precisaram de perdão. De acordo com Efésios 3:10, Deus se revela aos anjos demonstrando sua sabedoria. Eles entendem isso, sem dúvida melhor do que nós.

Uma coisa é certa: Quando chegarmos no céu, Deus será muito mais para nós do que é agora. Embora nunca venhamos a compreender plenamente (nem mesmo no céu) a infinita riqueza de seus atributos, ele aumentará nossa compreensão e nossa capacidade para experimentá-lo. Paulo escreveu: *Porque agora vemos como por um espelho, de modo obscuro, mas depois veremos face a face. Agora conheço em parte, mas depois conhecerei plenamente, assim como sou plenamente conhecido* (1Coríntios 13:12).

No entanto, podemos conhecer por enquanto tudo o que precisamos conhecer a respeito de Deus por meio da revelação que ele nos deu em sua Palavra. No capítulo anterior, concluímos de modo geral que Deus é, que ele simplesmente existe. Nos três capítulos seguintes, vamos focar em quem ele é, olhando mais atentamente para alguns de seus atributos específicos.

DEUS É IMUTÁVEL

Em primeiro lugar, a Bíblia ensina que Deus não é suscetível de mudança. Ele é imutável e inalterável. A passagem de Salmos 102:25-27 diz:

> Desde a antiguidade fundaste a terra, e os céus são obra das tuas mãos. Eles perecerão, mas tu permanecerás; todos eles envelhecerão como uma vestimenta; tu os mudarás como roupa, e assim ficarão. Mas tu és o mesmo, e teus anos não terão fim.

Em Malaquias 3:6, Deus explicou suas razões para não destruir por completo os filhos desobedientes de Jacó: *Pois eu, o SENHOR, não mudo; por isso, vós, ó filhos de Jacó, não sois destruídos*. Tiago registrou: *Toda boa dádiva e todo dom perfeito vêm do alto e descem do Pai das luzes, em quem não há mudança nem sombra de variação* (Tiago 1:17).

Deus não muda. A mudança é ou para melhor ou para pior. Ambos os tipos são inconcebíveis com Deus – ele não pode melhorar em nada, nem mudaria para pior. Não há nada nele que precise mudar.

Quando dizemos que Deus não muda, queremos dizer que ele nunca muda seu caráter ou sua vontade. Números 23:19 declara: *Deus não é homem para que minta, nem filho do homem, para que se arrependa*. Deus pode, entretanto, decidir reagir de forma diferente às várias reações humanas. Por exemplo, Deus ordenou a Jonas que pregasse à cidade de Nínive que ela seria destruída. Mas, após a pregação de Jonas, toda a cidade se arrependeu. A Bíblia diz: *Deus [...] arrependeu-se do castigo que lhes enviaria e não o executou* (Jonas 3:10). Em vez de destruí-los, ele os abençoou. Deus mudou? Não, foi Nínive que mudou, e Deus reagiu ao arrependimento deles com uma bênção, o que é perfeitamente consistente com sua natureza imutável.

Gênesis 6:6 afirma que, quando Deus olhou para a depravação da raça humana nas civilizações antediluvianas, ele *arrependeu-se de haver feito o homem na terra*. Deus havia criado a humanidade para ser abençoada e ser uma bênção, mas a queda de Adão transformou a bênção de Deus em maldição. A vontade e o caráter de Deus não mudaram. Ele recompensaria o bem e puniria o mal. Mas a humanidade havia mudado, e Deus se entristeceu pelo que suas criaturas sofreriam como julgamento. Ele não se alegra quando tem de aplicar o julgamento (2Pedro 3:9).

Quando a Bíblia diz que Deus se arrependeu, não quer dizer que ele pensou haver cometido um erro. As versões NVI, ECA, ARA etc. usam o verbo *arrepender-se* em referência a Deus. Isso não significa que Deus muda de ideia. A Bíblia simplesmente expressa a atitude divina de tristeza pelo pecado em termos compreensíveis para nós. Significa que Deus reagiu à iniquidade humana com tristeza e mudou seu tratamento de acordo com o comportamento dos seres humanos. Sua vontade nunca mudou. Ele nunca mudou seu curso (cf. Jeremias 13:17).

A imutabilidade de Deus o separa de tudo, porque tudo muda. O universo todo está mudando. Galáxias nascem e morrem. Até o Sol está se apagando lentamente. Nosso mundo está em mudança constante. As estações mudam. Nós envelhecemos e morremos e, do começo ao fim, tudo o que conhecemos é mudança.

Deus não. Ele é o mesmo ontem, hoje e eternamente (Hebreus 13:8).

A BÊNÇÃO DA IMUTABILIDADE DE DEUS

O fato de Deus não mudar é uma grande fonte de conforto para os crentes. Isso significa que seu amor é eterno. Seu perdão é eterno. Sua salvação é eterna. Sua promessa é eterna.

Em Romanos 11:29, Paulo escreveu: *Porque os dons e o chamado de Deus são irrevogáveis.* Deus não muda sua promessa. *Se somos infiéis, ele permanece fiel; pois não pode negar a si mesmo* (2Timóteo 2:13). Se a nossa fé diminui, Deus não muda em relação a nós. A segurança da salvação, então, é baseada no caráter imutável de Deus.

Para o cristão, estar certo da imutabilidade de Deus é reconfortante e animador. Nós pertencemos a ele, e ele prometeu suprir todas as nossas necessidades. Estamos seguros em nosso relacionamento com ele. Seu amor por nós nunca diminuirá; certamente Deus terminará a obra que começou em nós (cf. Filipenses 1:6).

Para o descrente, entretanto, saber que Deus não muda pode ser apavorante. Deus disse que a alma que pecar, essa morrerá. Ele não mudará seu decreto. Sua Palavra diz que o salário do pecado é a morte, e isso será tão verdadeiro no julgamento final quanto era ao ser escrito. Embora Deus expresse um divino senso de tristeza na execução do seu juízo, ele não hesita de forma alguma e não suaviza sua posição sobre o pecado. A Bíblia diz em Salmos 119:89: *Senhor, tua palavra está firmada para sempre nos céus.*

DEUS É ONIPOTENTE

A palavra *Todo-poderoso* é usada 56 vezes na Bíblia. É sempre empregada em referência a Deus; nunca a outra pessoa. Deus é Todo-poderoso ou onipotente. Novamente, somos forçados a usar uma negativa para explicar o conceito: não há nada que ele não possa fazer. Essa é uma ideia desconcertante. Não há limites ao seu poder.

Construída em poder absoluto está a autoridade divina para utilizá-lo.

Deus pode fazer uma coisa tão facilmente quanto pode fazer outra. Não é mais difícil para Deus criar um universo do que é para ele criar uma borboleta, e ele tudo faz sem perder ou diminuir em nada sua força. Isaías 40:28 diz: *O eterno Deus, o Senhor, o Criador dos confins da terra, não se cansa nem se fatiga?*; Deus nunca precisa ser reabastecido. Onde ele procuraria mais força? Não existe poder fora de Deus.

Construída em poder absoluto está a autoridade divina para utilizá-lo. Deus não somente tem o poder; tem também a autoridade para fazer tudo o que quiser. Embora Deus possa fazer o que quiser, a vontade dele é totalmente coerente com sua natureza. É por essa razão, por exemplo, que ele não pode mentir e não tolerará o pecado. É também por isso que ele mostra graça e misericórdia. O texto de Salmos 115:3 diz: *Mas o nosso Deus está nos céus; ele faz tudo de acordo com sua vontade.* Você já se perguntou: "Por que Deus fez isto?" Ele o fez porque quis fazer. Se isso não lhe

O DEUS IMUTÁVEL E ONIPOTENTE

parecer suficiente como resposta, é porque você não compreende Deus. Você está pensando no Todo-poderoso como se ele fosse uma de suas criaturas.

Em Romanos 9, Paulo aborda a questão de Deus fazer o que quer, e o apóstolo sugere que alguns levantarão a questão: *Como pode Deus nos culpar por qualquer coisa se ele está no controle de tudo? Se as grandes decisões já foram tomadas, que temos nós com isso?* (v. 19, A Semente). Em outras palavras, se Deus é total e completamente soberano – se ele pode fazer o que quiser, e ele criou o universo exatamente da forma como quis –, como pode ele encontrar falhas em suas criaturas?

A resposta que Paulo então dá provavelmente não satisfaz quem não compreende o poder absoluto de Deus: *Mas quem és tu, ó homem, para argumentares com Deus? Por acaso a coisa formada dirá ao que a formou: Por que me fizeste assim?* (Romanos 9:20). Em outras palavras, não temos o direito de questionar Deus. O poder supremo sobre o projeto é direito do Oleiro.

Existem quatro áreas nas quais o poder de Deus pode ser visto mais claramente. Uma é *sua capacidade de criar algo do nada*. O texto de Salmos 33:6 diz: *Os céus foram feitos pela palavra do SENHOR, e todo o exército deles, pelo sopro da sua boca*. O versículo 9 acrescenta: *Pois ele falou, e tudo se fez; ele mandou, e logo tudo apareceu*. Romanos 4:17 diz que ele *chama à existência as coisas que não existem*. Ele criou tudo sem nenhuma ajuda e sem nenhuma matéria-prima. Isaías 44:24 diz: *Eu sou o SENHOR que faço todas as coisas, que sozinho estendi os céus e sozinho espalhei a terra*. O universo veio à existência no momento em que Deus teve a ideia: *universo*. Instantaneamente, lá estava ele.

Pense no poder no universo criado. Podemos dividir um átomo e, com a explosão resultante, destruir uma grande cidade. No entanto, mesmo se alguma tecnologia artificial pudesse deflagrar uma reação em cadeia que envolvesse todo o universo, não se aproximaria do poder infinito de Deus, porque ele é maior que qualquer coisa por ele mesmo criada. Foi ele quem colocou todo esse poder potencial em cada átomo diminuto.

Uma segunda área na qual o poder de Deus pode ser visto é *sua capacidade de sustentar a criação*. Hebreus 1:3 diz que ele sustenta *todas as coisas pela palavra do seu poder*. Deus descansou no sétimo dia da criação, mas não porque estivesse cansado. De fato, ele realmente não descansou no sentido em que entendemos o repouso. Ele apenas cessou sua atividade criativa. Se Deus tivesse parado totalmente de agir no sétimo dia, tudo o que ele fez nos seis primeiros dias se desintegraria.

Ao descansar no sétimo dia, Deus estava também estabelecendo um padrão físico e espiritual para nós, bem como um símbolo de descanso a ser, em última análise, realizado no plano da redenção eterna em Cristo Jesus. Nós precisamos do descanso físico e de tempo para que adoremos e nos recuperemos espiritualmente. Mas Deus não precisa. Ele continua a preservar sua criação.

Além disso, o poder de Deus é claramente visível em *sua habilidade para redimir o perdido*. De fato, o poder de Deus é mais impressionante na redenção do que na criação, porque na criação não houve oposição, nenhum demônio a ser subjugado, nenhuma demanda a ser silenciada, nenhuma morte a ser vencida, nenhum pecado a ser perdoado, nenhum inferno a ser fechado, nenhuma morte na cruz a ser sofrida.

O que torna a redenção verdadeiramente surpreendente é que Deus chamou para si mesmo uma seleção de pessoas insignificantes e as fez confundir os que se consideravam sábios e os poderosos aos olhos do mundo. A primeira carta aos Coríntios 1:26-28 diz:

> Irmãos, observai o vosso chamado. Não foram chamados muitos sábios, segundo critérios humanos, nem muitos poderosos, nem muitos nobres. Pelo contrário, Deus escolheu as coisas absurdas do mundo para envergonhar os sábios; e escolheu as coisas fracas do mundo para envergonhar as fortes. Ele escolheu as coisas insignificantes do mundo, as desprezadas e as que não são nada para reduzir a nada as que são.

Os primeiros capítulos de Atos mostram como os apóstolos viraram o mundo de cabeça para baixo. Foi uma clara demonstração do poder de Deus na redenção.

Finalmente, o ilimitado poder de Deus é visível em *sua capacidade de ressuscitar os mortos*. Um dia, no final dos tempos, Deus ressuscitará dentre os mortos cada ser humano, seja ele justo, seja injusto. Jesus disse:

> Não vos admireis disso, porque virá a hora em que todos os que estão nos sepulcros ouvirão a sua voz e sairão; os que tiverem feito o bem, para a ressurreição da vida, e os que tiverem feito o mal, para a ressurreição da condenação. (João 5:28,29)

Quem pode compreender a capacidade de trazer alguém de volta da morte? Todavia, Jesus fez isso várias vezes durante o seu ministério terreno, culminando com sua ressurreição. Ele mesmo, assim, se tornou as primícias de todos os que ressuscitarão para glória.

O SIGNIFICADO DA ONIPOTÊNCIA DE DEUS

A onipotência de Deus não é meramente teórica ou acadêmica. É uma verdade rica, com implicações práticas. Para começar, a crença na onipotência de Deus é essencial à verdadeira adoração. O segundo livro de Reis 17:36 diz: *Mas temereis somente o Senhor, que vos tirou da terra do Egito com grande poder e com braço forte, a ele adorareis e a ele oferecereis sacrifícios.* A palavra hebraica traduzida por "adorar" é um paralelo exato do termo grego *latreuo*, que trata de adoração. De fato, a versão Almeida Revista e Corrigida diz: *a ele vos prostrareis.*

A compreensão da onipotência de Deus é uma forte motivação para adorar, porque, para o cristão, o poder divino é a base da confiança diária em Deus. Quando me sinto inadequado e incapaz de fazer alguma coisa, lembro-me de Filipenses 4:13, que afirma: *Posso todas as coisas naquele que me fortalece.* Efésios 3:20 declara que Deus é poderoso para fazer bem todas as coisas, além do que pedimos ou pensamos, pelo poder que age em nós. O poder de Deus nos sustém em nossa vida diária.

Essa é uma grande fonte de encorajamento. Nenhum problema que enfrentarmos é difícil demais para Deus resolver. Independentemente das dificuldades que impeçam nosso crescimento e progresso, sabemos que Deus é maior. A passagem de Salmos 121:1,2 nos dá essa perspectiva: *Elevo meus olhos para os montes; de onde vem o meu socorro? Meu socorro vem do Senhor, que fez os céus e a terra.* Deus criou todo o universo simplesmente chamando-o à existência. Nenhum dos nossos problemas é páreo para o seu grande poder.

Efésios 6:10 diz: *Finalmente, fortalecei-vos no Senhor e na força do seu poder.* Não precisamos combater nossas batalhas com nossa energia; seu onipotente poder está disponível a nós. Quando o adversário vier, não lute. Vá dizer ao Comandante. Ele luta por nós, e o segredo da nossa vitória é confiar no poder dele. João escreveu: *Aquele que está em vós é maior do que aquele que está no mundo* (1João 4:4).

Não é preciso temer a apostasia ou a perda da salvação. Paulo escreveu a Timóteo: *Não me envergonho; porque eu sei em quem tenho crido e estou certo de que ele é poderoso para guardar o meu tesouro até aquele dia* (2Timóteo 1:12).

Romanos 8:33,35 pergunta: *Quem trará alguma acusação contra os escolhidos de Deus? É Deus quem os justifica.* [...] *Quem nos separará do amor de Cristo? Será tribulação, ou angústia, ou perseguição, ou fome, ou privação, ou perigo, ou espada?* Não. Deus é onipotente. Paulo prossegue:

> Pois tenho certeza de que nem morte, nem vida, nem anjos, nem autoridades celestiais, nem coisas do presente nem do futuro, nem poderes, nem altura, nem profundidade, nem qualquer outra criatura poderá nos separar do amor de Deus, que está em Cristo Jesus, nosso Senhor. (v. 38,39)

Para os descrentes, contudo, as implicações da onipotência de Deus são bem diferentes. O descrente está em oposição a Deus e, para ele, o poder de Deus é uma ameaça. Significa que o seu julgamento é seguro, e *terrível é cair nas mãos do Deus vivo!* (Hebreus 10:31).

ADORANDO O DEUS IMUTÁVEL E ONIPOTENTE

Nós adoramos um Deus imutável, onipotente. Se isso deixa Deus muito além da sua compreensão, é algo bom. Se a ideia que você faz de Deus é de alguém simples o suficiente para a compreensão pela mente humana, o seu deus não é o verdadeiro Deus.

Qual é o seu conceito de Deus? Você o vê como um ser eterno, infinito, onipotente, imutável e glorioso? Ou você, assim como muitos, tende a minimizar a grandeza de Deus, preferindo imaginá-lo como alguém que pode ser manipulado ou enganado pela hipocrisia humana, ou como um ser utilitário tal qual um gênio que pode receber ordens para cumprir o que desejamos? Todos esses conceitos a respeito de Deus são completamente pagãos.

A visão da estabilidade do nosso Deus imutável produz um senso de segurança e firmeza em nossa vida incerta. E a compreensão de que o seu poder é ilimitado e irredutível fortalece e encoraja até o crente mais fraco. A resposta natural a isso é o louvor que transborda numa vida plena de adoração.

CAPÍTULO SETE

O DEUS QUE ESTÁ EM TODA PARTE — E CONHECE TODAS AS COISAS

Em 1Crônicas 28:9, Davi disse a seu filho: *E tu, meu filho Salomão, conhece o Deus de teu pai, e serve-o de coração íntegro e espírito voluntário.* Esse é o melhor conselho. Conheça Deus e, quando o conheceres, sirva-o voluntária e resolutamente. Davi continua: *porque o Senhor examina todos os corações, e conhece todas as intenções da mente. Se o buscares, tu o encontrarás; mas se o deixares, ele te rejeitará para sempre.* Gostaríamos que todo pai transmitisse essa mensagem ao filho.

Como o versículo sugere, as consequências de não conhecer Deus são terríveis. Em 2Tessalonicenses 1:7,8 Paulo escreveu: *Ele fará isso quando o Senhor Jesus vier do céu e aparecer junto com os seus anjos poderosos, no meio de chamas de fogo, para castigar os que rejeitam a Deus e não obedecem ao evangelho do nosso Senhor Jesus* (NTLH).

Conhecer Deus é ter vida eterna. Quem conhece Deus intimamente participa de sua natureza e de sua vida. Em João 17:3, nosso Senhor orou: *E a vida eterna é esta: que conheçam a ti, o único Deus verdadeiro.*

A verdadeira sabedoria é como um fruto do conhecer Deus. Salomão escreveu:

> [...] faças teu ouvido atento à sabedoria e inclines o coração ao entendimento; sim, se clamares por discernimento e levantares tua voz por entendimento, se o buscares como quem busca a prata e o procurares como quem procura tesouros escondidos; então entenderás o temor do Senhor e acharás o conhecimento de Deus (Provérbios 2:2-5).

Conhecer Deus é a base essencial da verdadeira sabedoria e do verdadeiro discernimento. O ser humano é sábio na medida em que entende o verdadeiro Deus.

Deus quer que o conheçamos. Sim, *a glória de Deus é encobrir as coisas*, de acordo com Provérbios 25:2. Às vezes Deus envolve importantes verdades em mistério durante algum tempo por motivos específicos. Observe, contudo, o restante do versículo: *mas a glória dos reis é examiná-las*. Deus quer que busquemos o entendimento, começando por conhecê-lo e como ele é.

Deus não se esconde de nós por esporte. Ele não é algum tipo de pessoa que brinca de esconde-esconde atrás de um arbusto, dizendo: "Você está ficando mais quente". Ele não está tentando se esconder ou tentando dificultar o nosso conhecimento. Ele se revelou não apenas na glória de sua criação, mas também tão claramente quanto possível na linguagem humana. A Escritura é sua autorrevelação detalhada. Ele quer que o conheçamos bem.

No capítulo anterior, arranhamos a superfície de apenas dois atributos de Deus – sua imutabilidade e sua onipotência. Neste capítulo vamos examinar outros dois – sua onipresença e sua onisciência.

DEUS É ONIPRESENTE

As pessoas sempre tentaram confinar Deus. Visto que nossa mente finita não tem a possibilidade de compreender os atributos infinitos de Deus, nossa tendência natural é reduzi-lo em nossos pensamentos.

Muitos judeus do Antigo Testamento achavam que Deus de fato habitava no templo. Eles não compreendiam que a arca era apenas um símbolo de sua presença; Deus não habitava lá em sua plenitude. As pessoas em nossa sociedade tendem a pensar em Deus como alguém fora, em algum lugar celestial. Mas Deus não pode ser limitado a lugar algum. Ele está em toda parte o tempo todo. Isso é o que significa ser onipresente.

Sou eu apenas Deus de perto? Não sou também Deus de longe? (Jeremias 23:23). Em outras palavras, Deus não é um ídolo confinado a um local. Ele não pode ser contido num edifício. Não temos de ir a um lugar específico para adorar pelo fato de Deus estar lá. Essa é uma ideia totalmente pagã.

Os assírios pensavam que o Deus dos israelitas vivia no monte, enquanto os deuses deles viviam nos vales. Alguns pagãos pensavam que seus deuses viviam em bosques especialmente preparados para eles.

De acordo com 1Samuel 5, quando os filisteus roubaram a arca da aliança, pensaram que ela fosse a representação do Deus dos israelitas. Levaram a arca e a colocaram no templo de Dagom, deus deles. Imaginaram: por que não colocar o Deus israelita num lugar junto a seus ídolos?

Na manhã seguinte, a estátua de Dagom estava caída sobre seu rosto. Então eles o colocaram de volta no lugar. No dia seguinte ela estava caída novamente e, dessa vez, com as mão e a cabeça cortadas. Deus fez uma cirurgia sobrenatural naquele ídolo para simbolizar sua inexplicável superioridade sobre todas as coisas criadas. O primeiro livro de Samuel 5:5 diz: *Por isso, até o dia de hoje, nem os sacerdotes de Dagom, nem todos os que entram no templo de Dagom em Asdode, pisam na soleira de Dagom.* Ninguém jamais entrou no templo de Dagom em Asdode novamente. Quem quer adorar um ídolo de pedra quebrado que é castigado por um Deus mais poderoso?

Eles associavam o deus deles àquele lugar. Mas *o verdadeiro Deus não habita em templos feitos por mãos humanas* (Atos 17:24). Ele não pode ser confinado a um único local, edifício ou objeto. Ele está em toda parte – e em toda parte e disponível ao verdadeiro adorador.

Ocasionalmente a linguagem das Escrituras pode parecer sugerir que Deus se mudou de lugar para lugar, como em Gênesis 11:5, que diz: *Então o Senhor desceu para ver a cidade com a torre que os filhos dos homens edificavam.* Esse versículo está simplesmente traduzindo em linguagem humana uma verdade difícil. Significa simplesmente que Deus concedeu à cidade e à torre sua atenção imediata. Deus não teve de viajar para chegar lá. Apenas porque Deus agiu especificamente num lugar, em determinada ocasião, por alguma razão especial, não significa que ele não estivesse em toda parte ao mesmo tempo.

ONDE DEUS HABITA?

O que a Bíblia quer dizer quando fala sobre a habitação de Deus? Por exemplo, o Novo Testamento ensina que ele habita nos crentes. Deus está apenas no coração dos crentes? Ele não está também no coração dos ímpios?

Quando a Bíblia diz que os crentes são templos de Deus (1Coríntios 3:16), está se referindo a um relacionamento especial que Deus tem com os que são redimidos. As Escrituras aludem a uma presença relacional, espiritual. Deus em sua essência está presente em todos, mas tem um relacionamento singular e íntimo com os crentes, que a Bíblia descreve como "habitar". Mas isso não significa que Deus ocupa um espaço físico mais que outro.

O que a Bíblia quer dizer quando se refere à habitação de Deus?

No Antigo Testamento, diz-se que Deus habitava entre as asas do querubim na arca da aliança. Isso significa simplesmente que o lugar santíssimo era um lugar especial, sagrado, onde Deus estabeleceu simbolicamente o trono de sua majestade.

Hoje a igreja toda serve a esse propósito – não o *edifício* da igreja (o templo), mas a igreja universal; o corpo espiritual formado por todos os crentes. Os crentes são templos do Espírito Santo (1Coríntios 6:19), o que significa que nosso corpo é um símbolo sagrado da majestosa presença de Deus. Coletivamente, os corpos de todos os crentes de todos os tempos e de todos os lugares constituem um magnificente templo espiritual, *edificados sobre o fundamento dos apóstolos e dos profetas, sendo o próprio Cristo Jesus a principal pedra de esquina. Nele, o edifício inteiro, bem ajustado, cresce para ser templo santo no Senhor, no qual também vós, juntos, sois edificados para morada de Deus no Espírito* (Efésios 2:20-22).

No reino milenar, o trono de Deus é representado por um trono em Jerusalém onde Cristo reina. Na eternidade, um trono celestial (descrito em Apocalipse 4 e 5) serve, da mesma forma, como ponto focal da soberana autoridade de Cristo. Contudo, no que se refere à presença real de Deus, templos, tronos e locais físicos são *meramente* símbolos. Os símbolos da presença de Deus nunca podem representar prisões à sua essência. Deus está em toda parte.

Deus está até mesmo em lugares que nós associamos ao mal. Ele está no coração de um pecador não convertido com a finalidade de esquadrinhar e convencer. Ele está no inferno com o propósito de julgar, porque ele é capaz de destruir tanto a alma como o corpo no inferno (Mateus 10:28). É claro que Deus não se contamina com a impureza do inferno, muito menos com a perversidade de uma masmorra terrena. Sua essência está em toda parte, mas jamais se mistura com alguma impureza. Em certo sentido, Deus é como o raio de sol. O raio solar pode incidir sobre um cadáver em decomposição no campo, mas o cadáver nunca passa sua corrupção para o raio de sol.

Deus é puramente a essência do que ele é, sem se misturar com nada. Nada o polui. Jesus veio ao mundo, andou pelo mundo, viu o pecado, teve comunhão com pecadores, todavia não houve pecado nele. Deus pode tocar qualquer coisa sem se contaminar com ela.

Esses são pensamentos incríveis. Deus está em toda parte, todavia não se mistura com nada. Nada o corrompe. Nada o toca de forma que possa mudar seu caráter ou alterá-lo de alguma maneira. Que tipo de aplicação prática tem essa doutrina?

A RESPOSTA DO CRENTE À PRESENÇA DE DEUS

Primeiro, a presença de Deus significa segurança. Não importam as circunstâncias adversas ou emoções que experimentemos, se percebemos sua presença ou não, Deus está conosco. Podemos duvidar de sua presença; podemos nos sentir como se ele estivesse longe, mas ele está mais perto do que sempre esteve. *Ele mesmo disse: Nunca te deixarei, jamais te desampararei* (Hebreus 13:5).

Filipenses 4:5,6 inclui a frase: *O Senhor está perto. Não andeis ansiosos por coisa alguma.* Embora frequentemente se entenda o versículo como se estivesse falando sobre a segunda vinda, na realidade ele se refere à presença perpétua de Cristo. O Senhor está presente o tempo todo. Compreenda isso. É um de seus atributos, parte integral do seu caráter.

Um cristão pode ser separado de Deus? Não! Ninguém no universo pode ser, em essência, separado de Deus e o crente não pode ser, tampouco, separado dele em relacionamento. Ele está sempre presente. Em 2Timóteo 2:13, somos informados de que, mesmo que a nossa fé comece a vacilar, ele permanece fiel. A comunhão indissolúvel com Deus é o direito de primogenitura de todo crente. Deus está conosco agora tanto quanto estará na eternidade. É exatamente isso o que as Escrituras querem dizer ao afirmarem que o Espírito de Deus habita em nós. Não há fonte maior de segurança.

A presença de Deus significa também apoio para o crente. Quando Deus chamou Moisés, em Êxodo 4:10, o patriarca alegou: *Ah, Senhor! Eu nunca fui bom orador, nem antes, nem agora, que falaste ao teu servo, pois sou pesado de boca e pesado de língua.* A resposta de Deus foi: *Estarei com a tua boca e te ensinarei o que deves falar* (v. 12).

Dizer que Deus está presente não significa que ele está apenas em pé ali observando. Significa que Deus está presente apoiando nosso trabalho para ele. Quando Cristo deu aos discípulos a ordem que conhecemos como a Grande Comissão, ele a acentuou com esta promessa: *E eu estou convosco todos os dias, até o final dos tempos* (Mateus 28:20). Ele garantiu que a obra feita para ele seria abençoada por sua presença e ajuda poderosa.

A contínua presença de Deus é também uma proteção contra a tentação opressiva. Sempre que Satanás quer chegar ao crente, ele tem de passar por Deus. Em 1Coríntios 10:13, lemos: *Não veio sobre vós nenhuma tentação que não fosse humana. Mas Deus é fiel e não deixará que sejais tentados além do que podeis resistir. Pelo contrário, juntamente com a tentação providenciará uma saída, para que a possais suportar.* Deus está presente pessoal e individualmente ao lado de cada crente para defendê-lo contra a tentação que ele não pode suportar.

É necessário que Deus esteja presente em toda parte para nos motivar a obedecer mais cuidadosamente. Quando pecamos, seja em pensamento, seja em palavras, seja em ação, o pecado é praticado na presença de Deus. O salmo 90 é uma oração de Moisés, e no versículo 8 o patriarca reconhece as implicações da onipresença de Deus com relação aos nossos pecados: *Colocaste diante de ti nossas maldades, e, à luz do teu rosto, nossos pe-cados ocultos.* Em outras palavras, quando pecamos, é como se subíssemos além das nuvens, entrássemos na sala do trono de Deus, andássemos até o pé do trono de Deus e cometêssemos o pecado ali mesmo na presença dele. Essa é uma ideia que dá o que pensar.

Provérbios 3:6 sugere exatamente isso ao dizer: *Reconhece-o em todos os teus caminhos.* Viver a vida cristã significa organizar a vida com o entendimento de que tudo o que eu fazemos é feito na presença de Deus. Isso deveria revolucionar a nossa vida "particular".

O OUTRO LADO DA MOEDA

Para os crentes, então, a doutrina da onipresença de Deus é extremamente importante, mas o que ela significa para o descrente? A pessoa ímpia não tem esconderijo. Não há escape, não existe saída, não há lugar para ela se esconder. Amós 9:2-4 oferece uma visão da condição do descrente que tenta se esconder de Deus:

> Ainda que cavem até o Sheol, a minha mão os tirará dali; ainda que subam até o céu, eu os farei descer. Ainda que se escondam no topo do Carmelo, eu os buscarei e os tirarei dali; e ainda que se escondam dos meus olhos no fundo do mar, darei ordem à serpente, e ela os morderá ali. Também, ainda que sejam levados para o cativeiro pelos inimigos, darei ordem à espada, e ela os matará ali; enfim, eu me colocarei contra eles para o mal e não para o bem.

Não há lugar para se esconder. O ímpio precisa se dar conta de que, não importa quanto ele tente, não importa quanto corra, ele não pode escapar de Deus. Ele pode decidir não querer ir à igreja, ele pode não querer ler a Bíblia, quer evitar qualquer discussão religiosa, pode querer tirar Deus de sua mente – mas Deus está lá.

Jó 26:5,6 diz: *Os mortos tremem debaixo das águas com os que ali habitam. O Sheol está nu perante Deus, e o Abadom não está encoberto.* Deus desmascara tudo com sua presença. Jó 34:21,22 diz: *Porque os seus olhos estão atentos aos atos de cada um, e ele vê todas as suas ações. Não há escuridão nem densas trevas para esconder os que praticam o mal.* O texto de Salmos 139:7-12 acrescenta:

> Para onde me ausentarei do teu Espírito? Para onde fugirei da tua presença? Se eu subir ao céu, lá tu estás; se fizer a minha cama nas profundezas, tu estás ali também. Se tomar as asas da alvorada, se habitar nas extremidades do mar, ainda ali a tua mão me guiará, e a tua mão direita me susterá. Se eu disser: As trevas me encobrirão e a luz ao meu redor se transformará em escuridão; até mesmo as trevas não serão escuras para ti, mas a noite brilhará como o dia; pois as trevas e a luz são a mesma coisa para ti.

O ladrão rouba quando pensa que ninguém vê. O adúltero comete adultério quando imagina que ninguém saberá. O mentiroso mente porque pensa que ninguém descobrirá. Mas Deus *sabe*. O fato de Deus ser invisível não significa que ele não está presente. Deus nunca cochila nem dorme. Hebreus 4:13 faz uma declaração contundente: *E não há criatura alguma encoberta diante dele; antes todas as coisas estão descobertas e expostas aos olhos daquele a quem devemos prestar contas.*

A expressão *a quem devemos prestar contas* significa, literalmente, "aquele a quem devemos dar explicação". Deus não somente observa cada pecado e compreende totalmente todos os motivos, mas nos chamará para dar explicação de cada palavra sem propósito que proferimos e de cada pensamento oculto que cogitamos. *Nada há encoberto que não venha a ser revelado, nem escondido que não venha a ser conhecido. Pois tudo o que dissestes no escuro será ouvido em plena luz; e o que falastes sussurrando em casa será proclamado dos telhados* (Lucas 12:2,3).

Jesus citou essa verdade como uma das principais razões pelas quais devemos temer a Deus: *Não temais os que matam o corpo, e depois disso nada mais podem fazer. Eu vos mostrarei a quem deveis temer; temei aquele que, depois de matar, tem poder para lançar no inferno; sim, digo que a esse deveis temer* (Lucas 12:4,5).

DEUS É ONISCIENTE

Intimamente relacionada à onipresença de Deus está sua onisciência. Nós já demos uma pista a respeito. Deus conhece tudo o que fazemos porque, aonde quer que vamos, ele está ali. Ele sabe *por que* fazemos o que fazemos porque ele vê nossos verdadeiros motivos mais claramente ainda que nós mesmos. Esta é a verdade da onisciência divina.

Veja o que Salmos 147:5 diz a respeito de Deus: *Não há limite para seu entendimento!* Ele conhece não apenas tudo o que é conhecível, mas conhece também o que é incompreensível. O primeiro livro de Samuel 2:3 afirma: *O Senhor é o Deus da sabedoria.* A palavra hebraica para *sabedoria* nesse versículo está no plural, enfatizando a extensão do conhecimento de Deus.

Em Romanos 16:27, Paulo chama o Todo-poderoso de único Deus sábio. Deus não somente sabe tudo; ele é o único que o faz. O conhecimento dos anjos é vasto, mas eles não conhecem tudo o que Deus conhece. O conhecimento humano está aumentando, mas, comparado ao conhecimento de Deus, é tolice.

ONDE DEUS OBTÉM SUA INFORMAÇÃO?

Deus não obtém seu conhecimento através do aprendizado. Pelo fato de conhecer tudo, ele não precisa descobrir algo novo ou compreender alguma coisa melhor do que já conhece. Quem o ensinaria? Isaías 40:13 indaga: *Quem guiou o Espírito do Senhor, ou lhe ensinou como conselheiro?* A resposta, claro: Ninguém. Em Romanos 11:34, Paulo indaga: *Pois, quem conheceu a mente do Senhor? Quem se tornou seu conselheiro?* Quem ensinou Deus? Novamente: Ninguém. Deus conhece tudo, e sempre conheceu.

Nossos pedidos em oração não significam dar a Deus informação de que ele necessite. Ele conhece nossas necessidades antes de orarmos. Assim, ele pode dizer: *E acontecerá que responderei antes de clamarem; e os ouvirei quando ainda estiverem falando* (Isaías 65:24). Nós oramos para desabafar nossas angústias e mostrar que nos preocupamos, e ele responde porque escolhe agir lado a lado com nossas orações.

Mas a oração é totalmente para nosso benefício, não de Deus. Não temos informação secreta de que Deus necessite. Nenhum conhecimento está fora do alcance de Deus. Não há pensamento secreto, palavras ou atos ocultos para Deus. Ele conhece até o número dos fios de cabelo de nossa cabeça. Jesus disse: *Até mesmo os cabelos da vossa cabeça estão todos contados* (Mateus 10:30).

---

*Nossos pedidos em oração não significam dar
a Deus informação de que ele necessite.*

Portanto, Deus conhece até mesmo as coisas mais triviais. Por que Deus se importaria em contar nossos cabelos? Ele não conta; ele simplesmente sabe. Deus não mantém um livro de registro de cabelos só para provar uma afirmação. Qualquer coisa que seja, ele sabe. Ele não precisa aprender ou descobrir.

Deus pode ver além do exterior. Em Apocalipse 2:23, ele declara: *Sou aquele que sonda as mentes e os corações*. Não podemos manter segredos de Deus; ele vê o nosso coração e a nossa mente da mesma forma que vê o nosso exterior. O texto de Salmos 139:4 diz: *Antes mesmo que a palavra me chegue à língua, tu, SENHOR, já a conheces toda.* Deus ouve nossos sussurros como se fossem emissões radiofônicas. Ele conhece até mesmo nossos pensamentos secretos como se estivessem sendo projetados numa enorme tela cósmica. Nossa mente não pode conceber o mais sutil dos pensamentos fora do conhecimento de Deus. Deus afirma em Isaías 66:18: *Eu conheço [...] os seus pensamentos*.

Vários lugares nos Evangelhos nos asseguram que Jesus pôde ver o coração dos homens. João 2:25 afirma: *Ele bem sabia o que é o ser humano*. E Lucas 6:8 diz: *Mas, sabendo de seus pensamentos, Jesus disse [...]*. Nicodemos veio a Jesus com uma pergunta na boca e outra na mente (João 3). Jesus respondeu à que estava na mente dele, embora Nicodemos nunca a tivesse pronunciado com os lábios.

A INFINITA SABEDORIA DE DEUS

A onisciência de Deus é inseparável de sua perfeita sabedoria. A sabedoria é a onisciência agindo com uma vontade santa. Se Deus conhece o fim desde o princípio (Isaías 46:9,10), ele também conhece cada passo minúsculo no meio. O melhor de tudo é que Deus pode fazer que tudo aja em conjunto, no final das contas, para resultar em bem, mesmo que as circunstâncias nos pareçam contrárias (Romanos 8:28).

Pense nos ilimitados detalhes da criação de Deus. Considere tudo, desde a vastidão do universo até os organismos primorosamente ajustados do mundo microscópico, passando pelas partículas incompreensivelmente diminutas do reino subatômico. Tudo evidencia incrível sabedoria. As partes componentes do universo se estendem além do cálculo, todavia funcionam em harmonia entre si para produzirem exatamente o que Deus pretende. A criação de Deus é um monumento à sua sabedoria. Esta é a declaração de Salmos 104:24: Ó Senhor, *que variedade há nas tuas obras! Fizeste todas com sabedoria.*

DEUS CONHECE TODAS AS COISAS. E DAÍ?

Quais as lições práticas da onisciência de Deus? Como isso afeta os crentes? Primeiro, é um grande conforto saber que Deus conhece tudo. Nós não parecemos muito importantes no universo. Você já questionou se Deus sabe que você está aqui? Ele sabe.

No tempo de Malaquias, Deus ameaçou julgamento sobre o povo, e Malaquias profetizou mais julgamento. Um grupo de justos começou a indagar se eles seriam varridos indiscriminadamente na destruição. Malaquias 3:16,17 diz:

> Então aqueles que temiam o Senhor falaram uns com os outros; e o Senhor os ouviu com atenção, e diante dele se escreveu um memorial, para os que temiam o Senhor, para os que honravam o seu nome. E naquele dia que preparei eles serão meus, diz o Senhor dos Exércitos, minha propriedade exclusiva; terei compaixão deles, como um homem tem compaixão de seu filho, que o serve.

Deus tem um livro com os nomes do seu povo e ele não se esquece de quem está registrado ali. De acordo com Apocalipse 13:8, os nomes dos crentes também foram escritos no livro de Deus desde a fundação do mundo. Ele os conhecia antes do tempo. É uma confiança sólida e confortante para o crente saber que absolutamente ninguém está fora do conhecimento de Deus. Nosso Pai celestial nos conhece. Sabe que pertencemos a ele.

Deus conhece toda provação pela qual passaremos e todas as nossas necessidades. Em Mateus 6:25-33, Jesus afirma:

> Por isso vos digo: Não fiqueis ansiosos quanto à vossa vida, com o que comereis, ou com o que bebereis; nem, quanto ao vosso corpo, com o que vestireis. Não é a vida mais do que o alimento, e o corpo, mais do que o vestuário? Olhai para as aves do céu, que não semeiam, nem colhem, nem ajuntam em celeiros; mas vosso Pai celestial as alimenta. Acaso não tendes muito mais valor do que elas? Qual de vós, por mais ansioso que esteja, pode acrescentar sequer uma hora à duração de sua vida? E por que andais ansiosos quanto ao que vestir? Olhai como os lírios do campo crescem; eles não trabalham nem tecem; mas eu vos digo que nem Salomão, em toda sua glória, se vestiu como um deles. Se Deus veste assim a planta do campo, que hoje existe e amanhã é jogada no forno, quanto mais a vós, homens de pequena fé? Portanto, não vos inquieteis, dizendo: Que comeremos? Que beberemos? Com que nos vestiremos? Pois os gentios é que procuram todas essas coisas. E, de fato, vosso Pai celestial sabe que precisais de tudo isso. Mas buscai primeiro o seu reino e a sua justiça, e todas essas coisas vos serão acrescentadas.

Meu Pai conhece minhas necessidades e cuida de todas elas.

DEUS NOS CONHECE E, DE TODO MODO, NOS AMA

Eu costumava pensar que a doutrina da onisciência não tinha nada de reconfortante. Quando eu era jovem, meus pais diziam com frequência: "Nós podemos não saber o que você faz, mas Deus sabe. Ele vê tudo". Eu pensava nisso como uma ameaça, algo que só me fazia ter medo de agir de maneira errada.

Temos de admitir que a onisciência de Deus é um dissuasor eficaz para o pecado. Deus é um professor que nunca sai da sala. A segunda carta aos Coríntios 5:10 nos diz que um dia seremos chamados a prestar contas de todas as coisas que fizemos no corpo. E 1Coríntios 4:5 diz que o Senhor *trará à luz as coisas ocultas das trevas* e *manifestará os motivos dos corações* humanos. Esse é um forte motivo para vivermos retamente.

Meus pais estavam certos; Deus sabe tudo o que fazemos. Todavia, sua correção é sempre com amor. Pedro negou o Senhor três vezes na crucificação. Em João 21, o Senhor confrontou Pedro e perguntou: *Tu me amas?* (v. 16). Pedro garantiu ao Senhor que o amava. O Senhor perguntou novamente – três vezes, no total. Finalmente Pedro disse: *Senhor, tu sabes todas as coisas e sabes que te amo* (v. 17). Pedro apelou para a onisciência de Jesus, e não para o seu comportamento visível, a fim de confirmar o seu amor.

A primeira carta de João 3:19,20 diz: *Nisto* [...] *tranquilizaremos nosso coração diante dele; pois, se o coração nos condena, Deus é maior que o nosso coração; ele conhece todas as coisas.* A onisciência de Deus faz mais por nós que simplesmente agir como um cão de guarda; é uma fonte de nossa confiança e tranquilidade, porque por meio dela o Senhor olha além da nossa desobediência e falha, e enxerga em nosso coração o amor que sentimos por ele.

A ONISCIÊNCIA DE DEUS E O DESCRENTE

Para o descrente, entretanto, a doutrina da onisciência não é tão confortável. Ela o desmascara e revela a estupidez da sua hipocrisia. Deus não é como o ser humano, que olha para a aparência exterior. Deus olha para o coração. A ideia de que a criatura humana pode fazer um jogo com Deus e se sair bem é destruída pela verdade de que Deus sabe todas as coisas. Ele não é enganado.

De fato, a onisciência de Deus está em completo contraste com a estupidez da sabedoria e da hipocrisia humana. A primeira carta aos Coríntios 3:18-20 diz:

Ninguém se engane; se alguém dentre vós se considera sábio nesta era, torne-se tolo para vir a ser sábio. Porque a sabedoria deste mundo é uma tolice diante de Deus; pois está escrito: Ele apanha os sábios na sua própria astúcia; e ainda: O Senhor conhece os pensamentos dos sábios, que são fúteis.

A onisciência de Deus também diz ao descrente que existe uma promessa de um julgamento perfeito. Romanos 2:2 declara: *Mas nós sabemos que o julgamento de Deus é de acordo com a verdade.* Podemos ter certeza de que o julgamento final será justo. Deus julgará com base na verdade, porque ele tem completo conhecimento da verdade. Em Jeremias 16:17 o profeta anunciou: *Eles não estão escondidos de mim, nem a sua maldade está encoberta aos meus olhos.* Não há como se esconder do julgamento de Deus.

A QUESTÃO CRUCIAL

Assim, os atributos de Deus têm um efeito amplamente diferente sobre os crentes e descrentes. Aos que confiam nele, os atributos de Deus são edificantes, encorajadores, fortalecedores, fontes de grande conforto, confiança e tranquilidade. Mas aos que se rebelam e se recusam a confiar nele, os atributos de Deus se tornam ameaças, causas de medo, arautos da maldição eterna.

O caráter de Deus está estabelecido. A questão agora é como alguém responde. O ser humano que colide contra Deus continuamente, tentando viver do jeito que quer, independente de Deus, é um tolo.

Deus é imutável, onipotente, onipresente e onisciente. Nossa resposta a isso deve ser adoração humilde e sincera. É fácil sermos orgulhosos quando focamos nós mesmos. Mas, assim que começamos a compreender como Deus é, percebemos nossa vileza, e a nossa resposta é o desejo de dar glória a Deus.

CAPÍTULO OITO

SANTO, SANTO, SANTO

Saber que Deus é imutável, onipotente, onipresente e onisciente é importante, mas esses atributos dão apenas uma visão limitada do que Deus espera de nós. O que, além de sua presença imutável, todo-poderosa e onisciente, nos compele a adorar?

Basicamente trata-se disto: Deus é santo. De todos os atributos de Deus, a santidade é o que mais singularmente o descreve. Na realidade, é um resumo de todos seus outros atributos. A palavra *santidade* diz respeito à sua separação, sua diversidade, ao fato de ele ser diferente de qualquer outro ser. Indica sua completa e infinita perfeição. A santidade é o atributo de Deus que une todos os outros atributos. Corretamente entendida, ela revolucionará a qualidade da nossa adoração.

Quando os anjos exaltam Deus, eles não dizem: "Eterno, Eterno, Eterno"; não dizem: "Fiel, Fiel, Fiel"; "Sábio, Sábio, Sábio"; ou "Poderoso, Poderoso, Poderoso". Eles dizem: *Santo, Santo, Santo é o Senhor Deus, o Todo-poderoso* (Apocalipse 4:8). Sua santidade coroa tudo o que Deus é.

Êxodo 15:11 pergunta: *Quem entre os deuses é como tu, ó SENHOR? Quem é como tu, poderoso em santidade, admirável em louvores, capaz de maravilhas?* A resposta, claro, é que nenhum ser é igual a Deus em santidade. De fato, a santidade é tão única e exclusivamente um atributo de Deus que encontramos em Salmos 111:9 a declaração: *Seu nome é santo e tremendo!* Isso não significa apenas que o nome de Deus é sagrado e santificado; significa que a santidade é tão essencial ao caráter divino que *Santo* é um dos nomes de Deus.

O PADRÃO DE SANTIDADE ABSOLUTA

Deus não se conforma a um padrão de santidade: ele é o padrão. Ele nunca faz nada errado, nunca se engana, nunca toma uma decisão injusta, nunca causa algo que não é certo. Não há medida para sua santidade.

Ele é santo, perfeito, sem erro, sem pecado, totalmente justo, absoluta e infinitamente santo.

Para estar na presença de Deus, é preciso ser santo. Isso foi demonstrado quando os anjos pecaram. Deus imediatamente os expulsou e preparou um lugar para eles separado de sua presença. Quando os humanos pecadores escolhem não se aproximar de Deus, quando decidem rejeitar Jesus Cristo, o fim derradeiro é serem mandados para o lugar preparado para o Diabo e seus anjos, fora da presença de Deus.

Hebreus 12:14 assevera claramente que ninguém pode estar na presença de Deus separado da santidade. O problema para nós é que o padrão de Deus para santidade é de completa perfeição. Sua santidade pura é o critério supremo pelo qual somos julgados. Pedro enunciou essa verdade quando escreveu: *Pois está escrito: Sereis santos, porque eu sou santo* (1Pedro 1:16). Jesus disse a mesma coisa: *Sede, pois, perfeitos, como perfeito é o vosso Pai celestial* (Mateus 5:48).

Isso representa uma barreira aparentemente intransponível para a humanidade caída, porque todos nós pecamos. Nós já somos pecadores – fatalmente manchados por nosso pecado. O que Deus requer de nós simplesmente não podemos conseguir por nós mesmos. De fato, nossa natureza está corrompida até o íntimo pelo pecado. O pecado corrompeu cada aspecto de nossa mente, nosso coração e nossa vontade. Nós *não* podemos ser perfeitos; somos profundamente imperfeitos – séria e indelevelmente corrompidos com desejos perversos, motivos corrompidos, pensamentos malignos e ações nocivas. Assim, não temos esperança nenhuma de obter por nós mesmos a perfeita santidade que Deus requer.

Mas o plano de Deus de salvação resolve todo esse dilema de uma forma notável e em muitas dimensões. A própria justiça perfeita de Deus é atribuída – ou creditada – a todo pecador que crê em Jesus Cristo. Assim como Cristo tomou nosso pecado e pagou por ele, nós conseguimos crédito por meio de sua justiça e por ela somos recompensados. *Daquele que não tinha pecado Deus fez um sacrifício pelo pecado em nosso favor, para que nele fôssemos feitos justiça de Deus* (2Coríntios 5:21).

A fé autêntica, por consequência, implica que nos despojemos de toda pretensão de justiça própria e nos confessemos pecadores sem esperança. De fato, até mesmo as tentativas mais difíceis cujo objetivo seja de obter algo por mérito próprio não têm valor aos olhos de Deus. O melhor de nós é totalmente imperfeito em razão da nossa pecaminosidade. As mais beneficentes obras humanas são como lixo diante da santa avaliação de Deus. Mas o Senhor credita sua justiça perfeita aos que se arrependem de sua justiça própria e confiam em Cristo como Senhor e Salvador (v. Filipenses 3:8,9). Isso nos dá direito imediato diante de Deus:

> Portanto, justificados pela fé, temos paz com Deus, por meio de nosso Senhor Jesus Cristo, por intermédio de quem obtivemos também acesso pela fé a esta graça, na qual estamos firmes, e nos gloriamos na esperança da glória de Deus. (Romanos 5:1,2)

> Portanto, agora já não há condenação alguma para os que estão em Cristo Jesus. (Romanos 8:1)

Tendo já nos justificado e nos vestido com vestes de justiça perfeita (não feitas por nós mesmos, mas pela justiça de Cristo a nós creditada), Deus está agora nos moldando à semelhança cada vez maior de Cristo, preparando-nos, assim, para o céu. Quando morrermos, ou quando Cristo retornar, esse processo será instantaneamente completado em nossa glorificação (Romanos 8:29; 2Coríntios 3:18; 1João 3:2).

A santidade de Deus é mais bem percebida
por causa de seu ódio ao pecado.

É por isso que nos referimos à santidade de Deus como um de seus atributos *comunicáveis* – uma das perfeições de Deus das quais suas criaturas podem, até certo ponto, compartilhar e participar. Deus nos molda à perfeição do seu padrão de santidade. Ele nos dá instantaneamente uma posição justa e depois, com o tempo, nos torna perfeitamente santos. Isso é um resumo imparcial do que Deus faz por nós na salvação.

A santidade de Deus é mais bem percebida por causa de seu ódio ao pecado. Deus não consegue tolerar o pecado; ele está totalmente separado dele. Amós 5:21-23 registra as fortes palavras de Deus aos que tentam adorá-lo quando corrompidos com o pecado:

> Eu detesto e desprezo as vossas festas; não me agrado das vossas assembleias solenes. Ainda que me ofereçais sacrifícios com as vossas ofertas de cereais, não me agradarei deles; nem olharei para as ofertas pacíficas de vossos animais de engorda. Afastai de mim o som dos vossos cânticos, porque não ouvirei as melodias das vossas liras.

Isso não significa que Deus odeia sacrifícios, ofertas, festas e músicas por si mesmos. Deus deseja todas essas coisas, porque ela as instituiu. Mas, quando os instrumentos de adoração estão manchados pelo pecado, Deus os odeia.

Deus não quer que você peque, mesmo que isso possa tornar seu testemunho mais empolgante, ou possa mostrar a graça de Deus em maior extensão. Deus nunca aprova ou tolera o pecado. Deus não necessariamente impedirá você de pecar, e ele pode até usar o seu pecado para promover a sabedoria e os santos propósitos dele. Mas ele jamais sanciona ou tolera o pecado; e, até mesmo quando o pecado de alguém ajuda a cumprir o desenrolar do plano eterno de Deus, é sempre a criatura, e não Deus, o agente responsável pelo pecado. Deus nunca tenta seduzir ativamente alguém ao pecado, e ele mesmo não pode ser tentado a pecar (Tiago 1:13). O pecado é objeto do seu desagrado. Deus ama a santidade. Como vemos em Salmos 11:7: *Porque o Senhor é justo; ele ama a justiça.*

A PROVA DA SANTIDADE DE DEUS

A santidade de Deus é visível de muitas formas. Para começar, ela é vista *na criação do ser humano.* Lemos em Eclesiastes 7:29: *O que descobri foi apenas* isto: *Deus fez os homens justos, mas eles buscaram muitas complicações*. Em outras palavras, quando Deus criou a humanidade, ele o fez para refletir sua santidade. O pecado foi a rebelião contra esse propósito.

Marcas residuais da santidade de Deus ainda são evidentes no ser humano apesar do seu pecado. Temos um senso inato de certo e errado. Embora imperfeito em consequência da nossa queda (e está sujeito a ainda mais degradação quando corações caídos se endurecem contra Deus e sua verdade), esse entendimento original, inato, de bem e mal, no entanto, se manifesta pela consciência humana, os códigos comuns de ética que governam toda a sociedade humana, o inerente senso de justiça da humanidade, e nossa preferência natural por justiça e imparcialidade ao invés de injustiça. Romanos 2:15 descreve a obrigação dos gentios de dar conta a Deus: *Demonstrando que o que a lei exige está escrito no coração deles, tendo ainda o testemunho da sua consciência e dos seus pensamentos, que ora os acusam, ora os defendem.* Até mesmo a pessoa mais vil, mais rebelde, tem pelo menos uma rude estrutura de justiça inerente em sua consciência.

A santidade de Deus é também vista *na lei moral*. Uma das principais razões pelas quais Deus instituiu a lei sob Moisés foi para demonstrar sua santidade. Quando Deus estabeleceu um padrão legal de moralidade, ele deu provas de um ser justo, moral e santo. Em Romanos 7:12, Paulo diz: *De modo que a lei é santa, e o mandamento, santo, justo e bom.* Os aspectos morais da lei mosaica são todos reafirmados nos ensinos do Novo Testamento.

A santidade de Deus é evidente *em sua lei sacrificial*, embora normalmente não pensemos nela dessa forma. Quando vemos Deus ordenando que os animais sejam mortos como sacrifícios e o sangue deles seja aspergido em toda parte, vemos de uma forma nítida que a morte é o resultado do pecado. Sempre que os judeus faziam um sacrifício, ilustravam o resultado do pecado, e isso declarava, por contraste, a santidade de Deus.

Em sentido correlato, a santidade de Deus é também vista no julgamento sobre o pecado. Quando a Bíblia fala (como em 2Tessalonicenses 1:7, p. ex.) sobre a vinda de Jesus em chamas de fogo e tomando vingança sobre os que não conhecem Deus e não obedecem ao evangelho, e quando ela descreve (como em Judas 15) a condenação do ímpio, vemos como

Deus odeia o pecado. Seu julgamento sobre o pecado é reflexo de sua santidade. Deus precisa punir o pecado porque ele é santo.

A demonstração suprema da santidade de Deus é vista *na cruz*. Foi lá que Deus sofreu o pecado da humanidade na pessoa de Cristo e deu a maior ilustração de sua santidade – seu ódio ao pecado e seu poder sobre ele. Deus é tão santo que teve de se desviar de seu próprio Filho porque Cristo sofreu o pecado do homem. Ele pagou o preço máximo necessário para satisfazer sua santidade – a morte de seu Filho.

Hebreus 9:26 faz uma impressionante e misteriosa declaração: *Ele se manifestou de uma vez por todas, para aniquilar o pecado por meio do sacrifício de si mesmo.* Deus, em Cristo, pagou o preço supremo de suportar o pecado da humanidade na cruz, porque o preço tinha de ser pago mesmo que custasse sua vida. Isso é santidade.

ADORAÇÃO AO SENHOR NA BELEZA DA SANTIDADE

Uma vida de adoração deve afirmar a total santidade de Deus; de fato, o reconhecimento e a compreensão da santidade de Deus são essenciais à verdadeira adoração. Nas palavras de Salmos 96:2-6, recebemos uma ordenança:

> Cantai ao Senhor, bendizei o seu nome; dia após dia, proclamai a sua salvação. Anunciai a sua glória entre as nações, e suas maravilhas, entre todos os povos. Porque o Senhor é grande e digno de ser louvado, mais temível do que todos os deuses. Porque todos os deuses dos povos são apenas ídolos, mas o Senhor fez os céus. Glória e majestade estão diante dele; há força e formosura no seu santuário.

Isso descreve atos de adoração. O versículo 9 faz a declaração fundamental: *Adorai o Senhor na beleza da sua santidade; tremei diante dele todos os moradores da terra.*

Aqui somos apresentados à frequente conexão que as Escrituras fazem entre a perfeita santidade de Deus e o evidente temor por parte do adorador. É um temor que surge de um senso esmagador de indignidade na presença de tão gloriosa santidade. Por exemplo, em Gênesis 18, Abraão confessou na presença de Deus ser pó e cinza. Da mesma forma, Jó disse após sua peregrinação: *Com ouvidos eu tinha ouvido falar a teu respeito; mas agora os meus olhos te veem. Por isso me desprezo e me arrependo no pó e na cinza* (Jó 42:5,6). Esdras 9 registra o profundo senso de humilhação do sumo sacerdote quando compareceu perante o Senhor para adorar. Habacuque teve uma visão do poder e da majestade de Deus, e seus joelhos começaram a vacilar: *Quando eu o ouvi, meu ventre se comoveu, meus lábios tremeram diante do seu ruído; a fraqueza entrou nos meus ossos, os meus passos vacilaram* (Habacuque 3:16).

O ENCONTRO DE ISAÍAS COM DEUS

O capítulo 6 de Isaías descreve a experiência do profeta com a santidade de Deus. Uzias havia reinado durante 52 anos em Judá. Ele fora um rei competente no sentido de ter defendido o país de seus inimigos e de ter governado em um período de paz e prosperidade. Ele construiu um exército temível, fortificou as defesas de Judá, gerou produtividade econômica e encorajou o desenvolvimento da segurança externa. Não obstante, internamente a nação estava corrompida, poluída e miserável. Sua adoração era visivelmente superficial.

Como resultado, no capítulo 5, Isaías pronuncia meia dúzia de maldições sobre Judá. O povo tinha a ilusão de que as coisas iam bem porque ele tinha um bom líder e era materialmente próspero. Mas, no ano 740 a.C., Uzias morreu leproso quando Deus o feriu por causa de sua arrogância.

Quando Uzias morreu, a sensação de segurança da nação imediatamente se desfez, e Isaías sentiu tremenda necessidade de entrar na presença de Deus. Em Isaías 6:1, o profeta descreve como viu o Senhor sentado *sobre um alto e sublime trono*. Lá, o profeta ouviu os serafins clamarem uns aos outros em antífona: *Santo, Santo, Santo é o* Senhor *dos Exércitos; toda a terra está cheia da sua glória* (v. 3). A santidade de Deus enche tudo – até mesmo quando está oculta à nossa visão.

Quando Isaías, em adoração, percebeu a santidade de Deus, as bases do lugar tremeram à voz daqueles anjos que clamavam uns aos outros, e a casa se encheu de fumaça. No versículo 5, Isaías relata como ele reagiu: *Então eu disse: Ai de mim! Estou perdido; porque sou um homem de lábios impuros e habito no meio de um povo de lábios impuros; e os meus olhos viram o rei, o* SENHOR *dos Exércitos!*

Um dos serafins voou e tocou a boca de Isaías com uma brasa viva, como símbolo de purificação. Quando, dessa forma, ele foi purificado e limpo, o Senhor estava pronto para usá-lo, e ele estava disponível (v. 8).

Alguns podem pensar que Isaías não tinha uma imagem mesmo muito boa a respeito de si mesmo. Ele não estava pensando positivamente; não estava confirmando suas forças. Certamente, Isaías sabia que tinha a *melhor* boca da terra! Era um profeta de Deus! Era o principal líder espiritual da nação. Todavia, ele se amaldiçoou. Por quê?

A resposta é clara. Nós a encontramos nas palavras: *Os meus olhos viram o rei, o* SENHOR *dos Exércitos!* (v. 5). Isaías teve uma visão de Deus em sua santidade e ficou completamente devastado até o âmago do seu ser diante da consciência de sua pecaminosidade. Seu coração ansiava por purificação.

O QUE ACONTECEU AO TEMOR DE DEUS?

Quando vemos Deus como santo, nossa única e instantânea reação é nos considerarmos profanos. Entre a santidade de Deus e a impiedade humana, existe um abismo. E, até que a pessoa compreenda a santidade de Deus, ela jamais pode conhecer a profundidade de seu pecado. Devemos ser sacudidos até nossas raízes quando nos vemos contra o pano de fundo da santidade de Deus. Se não nos afligirmos profundamente por causa do nosso pecado, é porque não compreendemos nada da santidade de Deus.

Sem tal visão da santidade de Deus, a verdadeira adoração não é possível. A verdadeira adoração não é volúvel, irrefletida. Não é apresentada perante Deus às pressas, sem preparo e de forma insensível à majestade divina. Não é rasa, superficial ou irreverente. A adoração é a vida na presença de um Deus infinitamente justo e onipresente, vivida por alguém totalmente cônscio da santidade do Senhor e, consequentemente, subjugado pelo senso da própria maldade.

Você e eu podemos não ter uma visão como a de Isaías, não obstante é verdadeira a lição de que, quando entramos na presença de Deus, devemos vê-lo como santo. Nosso senso de pecaminosidade e temor é proporcional à nossa experiência com a presença de Deus. Se você nunca adorou a Deus com o coração quebrantado e o espírito contrito, nunca o adorou, porque essa é a única resposta adequada para entrar na presença do Deus santo.

Minha grande preocupação é que hoje existe superficialidade demais com relação à santidade de Deus. Nosso relacionamento com Deus tornou-se desleixado. Na mente moderna, Deus se tornou quase humano, tão afável e corriqueiro que não compreendemos sua santa indignação contra o pecado. Se nos arrojamos à presença de Deus sem arrependimento, confissão e purificação pelo Espírito e pela Palavra de Deus, ficamos vulneráveis à sua santa indignação. É somente por sua graça que respiramos, não é verdade? Ele tem todos os motivos para tirar nossa vida, porque o salário do pecado é a morte. Nós perdemos nosso senso de temor, e muitas pessoas se aproximam de Deus com uma familiaridade tão casual que beira a blasfêmia.

Muito do que é feito em nome da adoração hoje claramente não considera Deus como verdadeiramente santo e, assim, lamentavelmente, deixa a desejar. Muitos cânticos atraentes estão sendo entoados, sensações comoventes são despertadas, pensamentos aceitáveis vêm à mente, e emoções agradáveis estão sendo cultivadas. Mas, com frequência, essas coisas são meros exercícios consumistas que mascaram uma adoração sem nenhum conhecimento sério da santidade de Deus. Esse tipo de adoração não tem que ver com a adoração que encontramos na Bíblia. Pode ser ter um fundo mais psicológico que teológico, mais carnal que espiritual.

A resposta de um verdadeiro adorador a uma visão de Deus deve ser semelhante à de Isaías. Devemos ser sobrepujados por nossa pecaminosidade e, consequentemente, dominados por um senso de santo terror. Tenho certeza de que as pessoas que hoje alegam ter visto Deus, se realmente o tivessem visto, não estariam fazendo fila para assistir ao mais recente programa de entrevista cristã; elas estariam prostradas no chão, sentindo pesar por seu pecado.

REVERÊNCIA E TEMOR SANTO

O verdadeiro adorador entra na presença de Deus com profundo respeito e saudável temor. Afinal de contas, Deus pune o pecado, até mesmo dos redimidos. Hebreus 12:6 nos lembra: *Pois o Senhor disciplina a quem ama e pune a todo que recebe como filho.*

Hebreus 12:28 continua: *Sejamos gratos e, dessa forma, adoremos a Deus de forma que lhe seja agradável, com reverência e temor.* Observe a razão que ele dá para tal adoração: *pois o nosso Deus é fogo que consome* (v. 29).

Reverência transmite uma conotação positiva. Descreve um senso de temor quando percebemos a majestade de Deus. *Temor*, por outro lado, é um senso de profundo temor e intimidação quando vemos o poder e a santidade de Deus, que é fogo que consome. Essa é uma alusão ao poder de Deus para destruir, sua santa reação contra o pecado.

A verdadeira adoração, então, exige clara consciência da santidade de Deus, profundo senso de nossa pecaminosidade e sincero clamor por purificação. Essa é a essência da atitude adequada de adoração. Permita-me ilustrar esse princípio com a vida de Cristo.

A REAÇÃO A JESUS

Parece difícil para os cristãos hoje se afastarem da ideia de Jesus como um ser passivo, amigável, manso e suave que andou pelo mundo fazendo que as pessoas se sentissem bem. Na verdade, quando nosso Senhor esteve aqui na terra, as pessoas quase sempre sentiram medo dele. Era avassalador estar face a face com o Deus vivo encarnado. De fato, é correto dizer que, sempre que alguém ficava face a face com Jesus e chegava à verdadeira compreensão de quem ele realmente era, a reação normal (tanto de crentes quanto de céticos) era de temor. Ele traumatizava as pessoas.

A presença de Jesus foi intimidante. Muitas coisas contribuíram para isso. Sua autoridade era notória. *As multidões estavam maravilhadas com seu ensino; pois ele ensinava como quem tem autoridade, e não como os escribas* (Mateus 7:28,29). Suas palavras eram inigualáveis: *Nunca ninguém falou como este homem* (João 7:46). Suas obras eram incontestavelmente de Deus. O cego disse: *Se ele não fosse de Deus, nada poderia fazer* (João 9:33).

Sua sabedoria era sobre-humana. *E ninguém podia responder-lhe palavra alguma; e, desde aquele dia, ninguém mais ousou interrogá-lo* (Mateus 22:46). Sua pureza era inegável. Ele disse: *Quem dentre vós me acusa de pecado?* (João 8:46). Sua honestidade era inquestionável. Ele desafiou os que tentaram colocá-lo à prova: *Se falei mal, mostra esse mal* (João 18:23). Seu poder era espantoso. Ele alimentou a multidão, expulsou demônios e se dirigiu a uma figueira, fazendo-a morrer instantaneamente.

Mesmo quando menino, os mestres ficaram chocados quando Jesus falou. Seu conhecimento ia além de qualquer coisa que as pessoas da sua época sabiam, e João 7:15 relata: *Os judeus se admiravam, dizendo: Como este homem tem tanta instrução sem ter estudado?* Sua independência fez estremecer os líderes religiosos. Os fariseus se surpreenderam de ele não lavar as mãos antes das refeições. Ele desafiou as tradições e as cerimônias artificiais. Sua compostura, confiança e coragem foram além de qualquer coisa humana.

É por isso que Jesus não foi meramente humano; ele foi Deus em carne humana.

Naturalmente, então, a presença de Jesus despertou um senso de medo nas pessoas. Elas se intimidavam diante dele. Uma das razões pelas quais os fariseus queriam se livrar de Jesus é que eles não conseguiam lidar com essa intimidação.

Talvez uma das reações mais notáveis a Jesus tenha sido por parte das pessoas que viram a resplandecente revelação de sua divindade. Crendo ou não, a reação era a mesma: elas ficaram paralisadas de medo.

Até mesmo os discípulos se amedrontaram ao enfrentar diretamente a realidade de que Jesus era Deus. Em Marcos 4:37-41, lemos que, quando os discípulos estavam atravessando o lago num barco com Jesus, formou-se uma tempestade, e o barco começou a afundar. Os discípulos entraram em pânico e acordaram Jesus, que estava dormindo o tempo todo. Ele acalmou a tempestade e os repreendeu pela falta de fé deles. O versículo 41 nos diz que, *após* Jesus ter acalmado a tempestade, eles ficaram *apavorados*. Uma coisa é pelo menos mais assustadora que uma violenta tempestade fora do barco: enfrentar a santidade de Deus ali dentro mesmo!

No capítulo seguinte de Marcos, Jesus encontrou um homem possuído por uma legião de demônios. Quando Jesus mandou os demônios para uma manada de porcos e eles se precipitaram no lago e se afogaram, as pessoas da cidade foram pedir-lhe que saísse daquela área (Marcos 5:17). A reação a Jesus não se deveu simplesmente ao fato de eles terem ficado ressentidos pela perda dos porcos. Se fosse o caso, eles teriam pedido compensação. Ao contrário, as pessoas ficaram aterrorizadas com a presença santa de Jesus. Sentiram claramente que aquele a quem todo julgamento havia sido entregue estava no meio deles e ficaram apavorados; não queriam enfrentar o próprio pecado na santa presença de Jesus.

Posteriormente, lemos em Marcos 5 que uma multidão se reuniu em torno de Jesus. No meio do povo, encontrava-se uma mulher que estava doente havia muitos anos. Ela cria no seu íntimo que Cristo tinha tanto poder que bastava lhe tocar as vestes para ser curada. Ela abriu caminho por entre a multidão, estendeu a mão fraca e se agarrou à veste de Jesus, segurando-a com firmeza. Instantaneamente a mulher foi curada.

Jesus perguntou: *Quem me tocou?* O versículo 33 diz: *Então a mulher,* ATEMORIZADA E TRÊMULA, *ciente do que lhe havia acontecido, foi, prostrou-se diante dele e contou-lhe toda a verdade* (ênfase acrescentada). Ela sabia que estava na presença de Deus.

A palavra para *trêmula* é a mesma usada na Septuaginta para descrever o tremor do monte Sinai quando Deus concedeu a lei. A mulher realmente tremeu! Ela ficou apavorada. É assim que deve ficar o pecador na presença do Deus santo.

Em Lucas 5, Pedro estava pescando e não conseguia pegar nada. O Senhor apareceu e mostrou-lhe onde lançar a rede. Pedro obedeceu, e sua pesca foi tão grande que ele não conseguia puxar a rede para dentro do barco. Ao receber, finalmente, ajuda de outro barco para recolher a pesca, havia tantos peixes que os dois barcos começaram a afundar. Foi uma demonstração da divindade de Jesus para Pedro. Pedro *prostrou-se aos pés de Jesus, dizendo: Afasta-te de mim, Senhor, porque sou um homem pecador* (v. 8). Tudo o que ele podia ver era a própria pecaminosidade ao ser confrontado com o poder e a presença do nosso Deus santo.

O verdadeiro adorador se aproxima nesse espírito. Ele é quebrantado em sua pecaminosidade. A vida do verdadeiro adorador é uma vida de contrição; é uma vida que reconhece o pecado e o confessa continuamente (v. 1João 1:9).

A GRAÇA DE DEUS NÃO ANULA SUA SANTIDADE

Talvez tenhamos perdido o temor de Deus ao admitirmos como certa a sua graça. No princípio, Deus disse a Adão e Eva: *porque no dia em que dela comeres* [da árvore proibida], *com certeza morrerás* (Gênesis 2:17). Eles comeram da árvore, mas não foram fulminados imediatamente. A vida física deles não terminou exatamente naquele dia; na verdade, eles viveram centenas de anos. Deus lhes mostrou graça.

Por toda a Bíblia, vemos que Deus é gracioso. A lei exigia a morte para os adúlteros, os blasfemos e até mesmo os filhos rebeldes. Mas muitos no Antigo Testamento violaram a lei de Deus sem sofrer a pena de morte que a lei prescrevia. Davi cometeu adultério, mas Deus não tirou sua vida. A graça de Deus é maior que o nosso pecado.

E Deus continua sendo gracioso. Você e eu estamos vivos apenas porque Deus é misericordioso. Em vez de punir cada pecado instantaneamente com o castigo que merecemos, Deus estende sua graça e bondade. Essa bondade *deve* nos induzir ao arrependimento: *Ou desprezas as riquezas da sua bondade, tolerância e paciência, ignorando que a graça de Deus te conduz ao arrependimento?* (Romanos 2:4).

No entanto, o nosso coração é desesperadamente ímpio e corrompido com maus pensamentos de que, quando deveríamos receber a misericórdia de Deus com grande gratidão e temor, com aflita contrição por nossos pecados, começamos a assumir como certa a sua graça. Consequentemente, quando Deus pune o pecado, achamos que ele é injusto.

As pessoas olham para o Antigo Testamento e questionam a bondade de Deus. Algumas têm até sugerido que não deveríamos ensinar a Bíblia às crianças porque o Deus que ela apresenta é demasiado violento. Por que, elas perguntam, Deus ordenaria aos israelitas que destruíssem todos os habitantes de Canaã? Que tipo de Deus extinguiria a vida de um homem simplesmente por tocar a arca? Como poderia um Deus bom e amoroso fazer que ursos destruíssem um grupo de crianças só porque elas ridicularizaram a calvície de um profeta? Realmente Deus abriu o chão e engoliu o povo porque ele se rebelou contra a autoridade de Moisés? Devemos realmente acreditar que Deus afogaria o mundo todo?

Estamos tão acostumados com a misericórdia e a graça que pensamos que Deus não tem o direito de se irar com o pecado. Romanos 3:18 resume a atitude do mundo: *Não possuem nenhum temor de Deus.*

Deus é gracioso, mas não confunda sua misericórdia com sua justiça.

Você sabe por que Deus tirou a vida de certas pessoas na Bíblia? Não foi pelo fato de elas serem mais pecadoras que os demais; foi porque em algum lugar na linha de ação do longo processo da graça e misericórdia, Deus teve de estabelecer alguns exemplos para fazer temer homens e mulheres. Ele transformou a mulher de Ló numa coluna de sal não porque ela tivesse feito algo pior que qualquer outra pessoa, mas para que ela fosse um monumento ao excesso da iniquidade do pecado. A primeira carta aos Coríntios 10 cita algumas pessoas do Antigo Testamento que foram destruídas, e o versículo 11 diz: *Tudo isso lhes aconteceu como exemplo e foi escrito como advertência para nós.* A estrada da história está pavimentada com a misericórdia e a graça de Deus. Mas existem placas de avisos colocadas em todo o percurso, para que os pecadores possam saber que Deus, a qualquer momento, tem o direito de tirar a vida deles.

Deus é gracioso, mas não confunda sua misericórdia com sua justiça. Deus não é injusto quando age de maneira santa contra o pecado. Jamais chegue ao ponto de estar tão acostumado à misericórdia e à graça a ponto de abusar delas ao permanecer em seu pecado. Não questione Deus quando ele faz o que tem todo o direito de fazer ao punir o pecado. Não abuse da graça de Deus; ele julgará você também. Mas saiba de uma coisa: Deus é santo e deve ser temido.

A VERDADEIRA QUESTÃO

A questão não é por que razão Deus julga alguns pecadores tão dramaticamente; ao contrário, é por que ele permite que alguns de nós vivamos. Deus tem todo o direito de punir o pecado, e *o salário do pecado é a morte* (Romanos 6:23). O texto de Lamentações 3:22 esclarece: *A bondade do Senhor é a razão de não sermos consumidos, as suas misericórdias não têm fim.*

A misericórdia de Deus, entretanto, não é sua bênção sobre o nosso pecado. Muitos de nós somos culpados do mesmo tipo de pecado de hipocrisia que Ananias e Safira cometeram. Ou chegamos à mesa do Senhor de maneira indigna, como fizeram os de Corinto, que morreram por causa de seu pecado (1Coríntios 11:30). Ou agimos de forma mundana como a mulher de Ló, que foi transformada numa estátua de sal. A verdadeira questão não é por que Deus *os* julgou tão rápida e drasticamente, mas por que ele não faz o mesmo conosco.

Como já foi dito, uma importante razão para a misericórdia de Deus é que ele nos está conduzindo ao arrependimento. Tenha em mente as palavras de Romanos 2:4: *A graça de Deus te conduz ao arrependimento.* Deus, por sua misericórdia e bondade para conosco, está frequentemente nos levando ao ponto no qual reconhecemos o seu amor por nós e a nossa necessidade de arrependimento.

As Crônicas de Nárnia, uma série de livros infantis de C. S. Lewis, são uma fantasia baseada nas verdades do cristianismo. Aslam, o leão dourado, representa Cristo. E, em sua descrição desse leão feroz e amável, Lewis evidenciou notável compreensão do caráter de Cristo.

Numa cena, alguns castores descrevem Aslam para Lúcia, Susana e Pedro, recém-chegados ao reino de Nárnia. Ansiosos por conhecê-lo, eles fazem perguntas que revelam seu medo.

– Ooh! – disse Susana – , eu pensava que ele fosse um homem. Não tem perigo? Vou ficar um tanto nervosa com a ideia de encontrar um leão.

– Isso você ficará, querida, e não se engane – disse a senhora Castor –, se existe alguém que pode aparecer perante Aslam sem que seus joelhos tremam, ou é mais corajoso que a maioria ou é apenas tolo.

– Então não é seguro? – disse Lúcia.

– Seguro? – retrucou o senhor Castor. – Você não ouviu o que a senhora Castor lhe disse? Quem falou algo sobre segurança? Claro que não é seguro. Mas ele é bom. Ele é o Rei, eu garanto.[1]

Depois que as crianças conheceram Aslam, Lucy observou que suas patas eram potencialmente muito macias ou muito terríveis. Elas podiam ser tão macias como veludo quando as garras estavam retraídas, ou afiadas como facas, quando as garras estavam estendidas.

No cristianismo moderno, temos, de alguma forma, omitido essa verdade. Embora sejamos gratos pela realidade da graça de Deus, e embora queiramos desfrutar a experiência do seu amor, de certo modo negligenciamos a verdade de sua santidade. Esse desequilíbrio está devorando o centro de nossa adoração.

Deus é um ser santo vivo, eterno, glorioso e misericordioso. Seus adoradores devem aproximar-se em contrição, humildade e quebrantamento de pecadores que se veem confrontados com essa santidade. E isso deveria colocar tal ação de graças e tamanha alegria em nosso coração pelo dom do seu perdão que a nossa adoração seria tudo o que deve ser.

Devemos ter uma vida de confissão, arrependimento e desvio do pecado para que a nossa adoração seja plenamente agradável a Deus. Não nos atrevemos a entrar apressadamente em sua presença com maldade. Não podemos adorar a Deus de forma aceitável sem sincera reverência e santo temor, e nossa adoração deve ser preparada na beleza da santidade. Devemos retornar ao ensino bíblico a respeito da completa e impressionante santidade de Deus para sermos cheios com a gratidão e a humildade que caracteriza o verdadeiro adorador.

---

[1] LEWIS, C. S. *O leão, a feiticeira e o guarda-roupa.* São Paulo: Martins Fontes, 1997.

CAPÍTULO NOVE

Surge uma nova era

Para colocarmos toda esta gloriosa teologia da adoração em termos concisos e práticos, vamos ao relato da conversa de Jesus com a mulher samaritana, conforme está registrado no capítulo 4 de João. Ali temos o privilégio de aprender o significado da adoração diretamente com aquele a quem adoramos.

Em pelo menos dez ocasiões nesse simples relato, aparece alguma forma da palavra grega mais frequentemente usada para adoração (*proskuneo*). Assim, a ideia de adoração domina claramente a passagem; e, embora o texto seja breve, contém todos os elementos essenciais de adoração em forma embrionária. É o ensino mais definitivo, mais importante e mais claro sobre o tema da adoração em todo o Novo Testamento. Ele será nosso foco durante alguns capítulos.

Já vimos que adoração não é apenas uma atividade a ser incorporada à nossa programação em certos intervalos; ao contrário, a adoração é em si mesma um compromisso para a vida toda, uma resposta única ao Deus santo, possível apenas aos que foram redimidos. Sugerimos uma definição de adoração e examinamos sua importância, natureza e seu objetivo. O relato de João 4 reúne tudo isso e lança ainda mais luz sobre o assunto.

UM DIVINO ENCONTRO MARCADO

João descreve os eventos que levaram à conversa de Jesus com a mulher samaritana:

> [Jesus] saiu da Judeia e foi outra vez para a Galileia. E era-lhe necessário passar por Samaria. Chegou, pois, a Sicar, cidade de Samaria, junto à propriedade que Jacó dera a seu filho José. Havia ali o poço

de Jacó. Cansado da viagem, Jesus sentou-se junto ao poço; era cerca da hora sexta. Então veio uma samaritana tirar água. E Jesus lhe disse: Dá-me um pouco de água. Pois seus discípulos tinham ido à cidade comprar comida. (João 4:3-9)

Embora a rota norte de Jerusalém para a Galileia fosse mais direta se o viajante passasse por Samaria, o fato de Jesus fazer aquele caminho foi incomum, porque normalmente os judeus se desviavam quilômetros de seu caminho para evitar os samaritanos, a quem consideravam impuros.

Mas Jesus estava em Samaria com um propósito específico. Sua passagem por ali não foi casual; foi planejada, ordenada por Deus. *Era-lhe* NECESSÁRIO *passar por Samaria* (v. 4, ênfase acrescentada). Ele tinha um divino encontro marcado com uma mulher especial. Deus queria que ela fosse uma verdadeira adoradora e mandou Jesus levá-la àquele relacionamento especial.

UMA CASA DIVIDIDA

De fato, os samaritanos, que descendiam de uma mistura, tinham suas raízes na antiga nação de Israel. O povo daquela terra se mantivera unido sob Saul, Davi e Salomão. Quando o reino se dividiu, o reino do sul – Judá – tornou-se independente. Com o tempo, o reino do norte – Israel – culpado de grave apostasia e declarada rebelião contra Deus, foi divinamente julgado. Em 721 a.C. Israel foi derrotado por Sargão. A maior parte do povo foi levada cativa para a Assíria, onde se tornou escrava dos assírios. Os únicos que tiveram permissão para permanecer na terra foram os pobres. (Eles impunham aos assírios uma responsabilidade social, por isso foram deixados para trás.) Os estrangeiros de áreas vizinhas, particularmente da Babilônia, começaram a entrar em Israel e se casaram com os judeus remanescentes. Os descendentes ficaram conhecidos como samaritanos, nome da capital de Samaria. Eles eram desprezados pelos judeus como aqueles que haviam vendido seu direito de primogenitura e poluído a raça pelo casamento interétnico com os pagãos.

A religião samaritana era de fato uma confusa combinação entre o paganismo e cerimônias sem fundamento lógico tiradas da lei do Antigo Testamento. Era uma teologia híbrida, idólatra na essência, mas recoberta com fina camada de verniz com cerimônias e símbolos emprestados da lei judaica. A história indica que os samaritanos pareciam querer manter sua herança judaica, até mesmo pedindo aos judeus um sacerdote que os ensinasse a verdadeira adoração a Deus, mas a tradição judaica enfatizava a tal ponto a rígida lei sacerdotal e a pureza cerimonial que a corrente predominante da tradição judaica se recusava peremptoriamente a ter qualquer coisa a ver com os samaritanos.

Por isso os samaritanos foram deixados com sua religião sincretista. A única opção era estabelecer seu local de adoração. Eles construíram um templo no monte Gerizim e começaram a adorar à sua maneira, separados do judaísmo tradicional.

Essa situação durou até 128 a.C., quando um governante macabeu, João Hircano, destruiu o templo dos samaritanos. O templo jamais foi reconstruído. Eles simplesmente continuaram adorando no monte Gerizim. E até hoje, embora existam pouco menos de quinhentos samaritanos sobre a face da terra, eles se reúnem naquela montanha livre e realizam seu cerimonial único, a adoração sacrificial, independentemente de Jerusalém.

SERÁ ELE O CRISTO?

Nos dias de nosso Senhor, os samaritanos eram desprezados, vistos com desdém e tratados como leprosos espirituais pelos judeus, que não mantinham nenhum relacionamento com eles. Isso explica por que a mulher samaritana ficou surpresa com o fato de Jesus, um judeu, ter parado junto ao poço e lhe dito:

> Como tu, um judeu, pedes de beber a mim, que sou mulher samaritana? Pois os judeus não se davam bem com os samaritanos. Jesus lhe respondeu: Se conhecesses o dom de Deus e quem é o que te diz: Dá-me um pouco de água, tu lhe pedirias e ele te daria água viva. E a mulher lhe disse: Senhor, tu não tens com que tirar a água, e o poço

SURGE UMA NOVA ERA

é fundo; onde, pois, tens essa água viva? Por acaso és maior que o nosso pai Jacó, que nos deu o poço, do qual ele mesmo bebeu, assim como também seus filhos e seu gado? Jesus respondeu: Quem beber desta água voltará a ter sede; mas quem beber da água que eu lhe der nunca mais terá sede; pelo contrário, a água que eu lhe der se tornará nele uma fonte de água a jorrar para a vida eterna. (v. 9-14)

Assim, Jesus ofereceu à mulher o dom da vida eterna, e suas declarações lhe despertaram a curiosidade. Ela deve ter ficado um tanto confusa sobre o que Jesus estava dizendo, mas sabia que era algo espiritualmente profundo – compreendeu que ele não estava falando sobre a água no sentido literal. O povo daquela parte do mundo estava acostumado a parábolas. Não era incomum – especialmente para um mestre ou rabi – recorrer a uma terminologia que extraía significado espiritual de ambientes e situações da vida. A resposta da mulher a Jesus, nos mesmos termos da analogia que ele utilizou, é registrada no versículo 15: *Senhor, dá-me dessa água, para que eu não tenha mais sede, nem tenha de vir aqui tirá-la.*

Então Jesus desafiou ainda mais a mulher, revelando que sabia tudo sobre seu estilo de vida pecador:

Vai, chama teu marido e volta para cá. A mulher respondeu: Não tenho marido. Então Jesus afirmou: Foste sincera, dizendo: Não tenho marido; pois já tiveste cinco maridos, e o que tens agora não é teu marido; isso disseste com verdade. (v. 16-18)

Se havia alguma dúvida na mente daquela mulher sobre se Jesus era um homem de Deus, essa dúvida se desfez depois dessa incrível revelação. A reação dela está registrada no versículo 19: *Senhor, vejo que és profeta.* Ela reconheceu em Cristo a onisciência divina em ação. Não podia haver outra explicação para um estranho ter tal informação.

Embora os samaritanos aceitassem apenas o Pentateuco como revelação de Deus, esses cinco livros continham verdade suficiente sobre o Messias para levá-los a esperar por ele. O poder da personalidade de Jesus deve ter feito que a mulher o visse pelo que ele era, porque depois ela disse aos homens da cidade: *Vinde, vede um homem que me disse tudo o que tenho feito; será ele o Cristo?* (João 4:29).

Jesus havia identificado o pecado na vida dela, e isso a fez considerar seriamente que ele podia ser o Messias. Ela sentiu a sobrenaturalidade de Jesus por duas razões óbvias. Em primeiro lugar, Jesus trouxe uma mensagem de verdade espiritual e, em segundo, ela sabia ser humanamente impossível que Jesus soubesse de sua situação. Ele tinha uma mensagem e uma percepção divinas.

Reconhecendo que Jesus era enviado de Deus, a mulher lhe fez a mais pertinente pergunta religiosa que ela conhecia: *Nossos pais adoraram neste monte, e vós dizeis que Jerusalém é o lugar onde se deve adorar.* Em outras palavras: "Quem está certo? Os judeus ou os samaritanos? Qual a maneira certa de adorar?"

Jesus lhe respondeu:

> Mulher, crê em mim, a hora vem em que nem neste monte nem em Jerusalém adorareis o Pai. Vós adorais o que não conheceis; porque a salvação vem dos judeus. Mas virá a hora, e de fato já chegou, em que os verdadeiros adoradores adorarão o Pai no Espírito e em verdade; porque são esses os adoradores que o Pai procura. Deus é Espírito, e é necessário que os que o adoram o adorem no Espírito e em verdade. (v. 22-24)

Por trás dessa pergunta, havia mais que mera curiosidade teológica. A mulher parecia ter um desejo genuíno de conhecer e experimentar o perdão de Deus, a graça purificadora para seu pecado, mas não sabia onde buscar. Assim como muitos de nós, ela associava a adoração a um lugar.

CADA UM FAZIA O QUE LHE PARECIA CERTO

A confusão da mulher era compreensível, porque ela vivia no meio de dois sistemas de adoração totalmente diferentes, nenhum dos quais oferecendo o tipo de vida espiritual satisfatória sobre a qual Jesus falava. A adoração judaica era altamente ritualizada, realizada segundo rígida liturgia, com firmes regras bíblicas e tradições em relação a como, quando e quem deveria prestá-la. A adoração samaritana, por outro lado, não era bem elaborada, ornada ou sofisticada.

A resposta de Jesus deve tê-la surpreendido, por dar a entender que os dois grupos estavam oferecendo adoração inaceitável. Como veremos no Capítulo 12, a seguir, tanto judeus quanto samaritanos eram culpados de adoração superficial, indiferente, autoproclamada e em desacordo com a vontade de Deus.

Jesus disse à mulher que a maneira judaica e samaritana de adorar devia ser eliminada totalmente em favor do método genuíno e espiritual de adoração: *Mulher, crê em mim, a hora vem em que nem neste monte nem em Jerusalém adorareis o Pai [...]. Os verdadeiros adoradores adorarão o Pai no Espírito e em verdade* (v. 21-23).

ALGO VELHO, ALGO NOVO

A declaração de Jesus pode ser interpretada de várias maneiras. Jesus podia estar predizendo a conversão da mulher, ao declarar: "Você está prestes a entrar num relacionamento com Deus que a fará adorar a Deus não em algum lugar, mas em seu coração". E certamente isso estava incluído no que ele quis dizer.

Contudo, tomadas em seu significado mais amplo, as palavras de Jesus sugerem: "Eu vou realizar uma obra redentora na cruz do Calvário, e isso eliminará para todos os verdadeiros adoradores qualquer requisito cerimonial que, de alguma forma, esteja associado ao sistema sacrificial da antiga aliança, seja ele verdadeiro, seja falso".

A questão é que as rígidas formas cerimoniais mosaicas da aliança relacionadas à adoração estavam prestes a chegar a um fim abrupto, para ela e para os demais. Não somente Jerusalém seria em breve saqueada pelos romanos e o templo permanentemente destruído, como a antiga aliança estava prestes a dar lugar a uma nova e melhor aliança.

Jesus disse no versículo 23: *Mas virá a hora, e de fato já chegou*. Essas são palavras fascinantes. Em essência, Jesus anunciou: "Estou em transição, e tenho em uma mão a antiga aliança e na outra, a nova. Está chegando a hora (e já está aqui porque eu estou aqui) em que o atual sistema da lei, dos sacrifícios e rituais acabará e virá a nova aliança". Jesus estava claramente predizendo o fim do sistema cerimonial externo.

O fim da antiga aliança veio como Jesus prometeu. Deus a dramatizou maravilhosamente com um grande evento culminante, que aconteceu quando Jesus morreu na cruz. O véu do templo se rasgou de alto a baixo, significando que Deus tinha encerrado todo o sistema. O lugar santíssimo ficou exposto. O acesso a Deus foi aberto a todos. As sombras deram lugar à realidade (cf. Colossenses 2:16,17). E, apenas para garantir que ninguém ficasse confuso sobre o *status* do antigo sistema, em 70 d.C. Deus permitiu que Jerusalém e o templo fossem destruídos. O templo jamais foi reconstruído.

O livro de Hebreus, no Novo Testamento, diz que, por causa do que Cristo fez, nós temos um novo *tipo* de adoração. Hebreus 10:19,20 afirma: *Portanto, irmãos, tendo coragem para entrar no lugar santíssimo por meio do sangue de Jesus,* PELO NOVO E VIVO ACESSO *que ele nos abriu através do véu* (ênfase acrescentada).

O tema de Hebreus 10 é a inadequação do sistema da antiga aliança. O versículo 4 diz: *Pois é impossível que o sangue de touros e de bodes apague pecados.* O sistema sacrificial não podia tratar os pecados de forma conclusiva. Suas oferendas eram símbolos temporários e tinham de ser repetidas constantemente. O versículo 11 descreve o problema: *Todo sacerdote se apresenta dia após dia, servindo e oferecendo muitas vezes os mesmos sacrifícios, que jamais conseguem apagar pecados.*

Que contraste vemos na obra de Jesus Cristo: *Mas este, tendo oferecido um único sacrifício pelos pecados, assentou-se para sempre à direita de Deus* (v. 12). Ele se assentou porque sua obra foi terminada.

> Pois com uma só oferta aperfeiçoou para sempre os que estão sendo santificados [...]. Esta é a aliança que farei com eles depois daqueles dias, diz o Senhor: Porei minhas leis em seu coração e as escreverei em sua mente, acrescentando: E não me lembrarei mais

de seus pecados e de suas maldades. Onde há perdão para essas coisas, não há mais oferta pelo pecado (v. 14-18).

Assim, o sistema de sacrifícios terminou quando Cristo morreu. Ele aperfeiçoou tudo. O sistema cerimonial, com seus sacrifícios, observância de sábados e adoração ritual, foi abolido para sempre.

E QUANTO AO SÁBADO?

Os sacrifícios terminaram, todavia ainda hoje alguns ensinam que devemos observar o sétimo dia da semana como descanso. A adoração aceitável, eles dizem, não é possível aos que deixam de guardar o sábado como dia de descanso. Isso contradiz o claro ensino desta e de outras passagens na Palavra de Deus.

É verdade que, sob a antiga aliança do Antigo Testamento em Israel, toda a adoração girava em torno do dia de descanso. O calendário judaico operava em ciclos relacionados ao número sete, e todos os dias de adoração, todas as grandes comemorações, festivais e celebrações estavam ligados ao conceito do sábado (descanso).

Havia diversos tipos de sábados, todos com um propósito comum – cessação do trabalho para adoração a Deus. Levítico 23:3 descreve o sábado semanal: *Seis dias se trabalhará, mas o sétimo dia é o sábado do descanso solene, uma assembleia santa; não farás nenhum trabalho; é sábado do SENHOR em todas as vossas habitações.* O restante do capítulo descreve os muitos outros dias de festas sabáticas e celebrações, cada uma delas se constituindo em uma santa convocação, um tempo sagrado no qual o povo de Deus se reunia para adoração.

Os conceitos fundamentais por trás da observância do sábado eram descanso e adoração

---

Em Levítico 25, Deus descreve instruções para dois ou mais tipos de observância de descanso sabático – o sábado com a duração de um ano, que devia ser observado a cada sete anos, quando os campos não deviam ser plantados e o povo devia se concentrar na adoração durante todo o ano; e o ano do Jubileu, que deveria ocorrer a cada quinquagésimo ano, ou no término de sete sábados de anos. No ano do Jubileu, a observância do último sábado ocorria no sétimo mês do Dia da Expiação. Nesse dia, a trombeta era tocada, e todos os escravos e refugiados eram libertados; a propriedade que havia sido comprada retornava a seu dono original; e cada um voltava à sua família. Os conceitos fundamentais por trás da observância do sábado eram descanso e adoração. O sábado semanal era um descanso das atividades da vida diária e um tempo para focar Deus. As festas sabáticas eram dias santos especiais separados para adorar e refletir sobre as coisas de Deus. O descanso após sete anos permitia até mesmo que os campos descansassem durante um ano inteiro. E o ano do Jubileu libertava escravos, coloca os presos em liberdade e concedia descanso e celebração para todos.

Mas o sábado tinha um propósito ainda mais elevado, que era puramente *simbólico*. Da mesma forma que o sistema de sacrifícios, com todos os seus cordeiros sem manchas, bois mortos e sacrifícios de sangue, simbolizava a expiação que Cristo fez na cruz, o sistema sabático simbolizava o verdadeiro descanso e a verdadeira adoração a serem encontrados pelo povo de Deus por meio do Messias. O sistema sabático apontava para um tempo em que o povo de Deus se uniria em santa convocação, uma libertação espiritual de cativos e liberdade aos escravos – uma cessação real de atividade. Era o ansioso aguardo pela chegada da nova aliança.

Jesus mesmo anunciou a chegada dessa realidade. Em Lucas 4, lemos que ele foi à sinagoga no sábado, tomou o pergaminho, e leu:

> O Espírito do Senhor está sobre mim, porque me ungiu para anunciar boas-novas aos pobres; enviou-me para proclamar libertação aos presos e restauração de vista aos cegos, para pôr em liberdade os oprimidos e para proclamar o ano aceitável [Jubileu] do Senhor (v. 18,19).

A linguagem dessa passagem de Isaías recorda a cerimônia que Moisés prescreveu para o Dia da Expiação no ano do Jubileu (Levítico 25:10-13). O texto continua descrevendo o que Jesus fez após ter lido a maior parte da passagem:

> E fechando o livro, devolveu-o ao assistente e sentou-se; e os olhares de todos na sinagoga estavam fixos nele. Então ele começou a dizer-lhes: Hoje se cumpriu esta passagem da Escritura que acabais de ouvir (v. 20,21).

Em outras palavras, o próprio Jesus declarou ser o cumprimento de tudo o que estava simbolizado no ano do Jubileu. Aquela era uma ocasião monumental na história da redenção.

Jesus proclamou: *Vinde a mim, todos os que estais cansados e sobrecarregados, e eu vos aliviarei* (Mateus 11:28). Era a oferta de um permanente descanso sabático. Jesus era o cumprimento de tudo o que os sábados descreviam. E nós não precisamos da descrição se temos a realidade. As rígidas normas cerimoniais do sábado não fazem mais parte da nova aliança que o sacrifício animal.

Jesus era a essência daquilo que os sábados eram meras sombras.

Essa é certamente uma das principais razões pelas quais Jesus parecia sair deliberadamente do seu caminho para desafiar o opressivo sistema dos fariseus e suas rígidas restrições em relação ao sábado. Quando Jesus precisou viajar no sábado, ele viajou (Marcos 2:23). Ele colheu e comeu cereais no sábado (v. 23-28). Ele curou no sábado (Mateus 12:10-14). E ele fez essas coisas abertamente, quase sempre chamando a atenção para o fato de que estava menosprezando as ordenanças sabáticas feitas pelos homens. Ele sabia muito bem que isso provocaria confronto, mas alegou senhorio sobre todo o sistema sabático (Lucas 6:5). De fato, ele era a essência daquilo que os sábados eram meras sombras.

Paulo chega exatamente a essa conclusão em Colossenses 2:16,17:

Assim, ninguém vos julgue pelo comer, ou pelo beber, ou por causa dos dias de festa, ou de lua nova, ou de sábados, os quais são sombras das coisas que haveriam de vir; mas a realidade é Cristo.

Nós adoramos sob um novo sistema, não pela forma morta de sacrifício animal, não pela antiga forma de sábados e cerimônias, mas *pelo novo e vivo acesso que ele nos abriu através do véu, isto é, do seu corpo. Tendo um grande sacerdote sobre a casa de Deus, aproximemo-nos* (Hebreus 10:20-22a). Cerimônias, formas externas e dias especiais não são mais obrigatórios. Toda esta maravilhosa verdade está associada às férteis palavras de nosso Senhor quando ele respondeu à mulher samaritana. (V. também Romanos 14:5,6.)

NÃO MUDOU MUITO

Vivemos hoje sob a nova aliança. Mas a adoração atual é melhor que a encontrada por Jesus em sua primeira vinda? Se Jesus tivesse de entrar em cena hoje, eu gostaria de saber o que ele diria sobre o que a moderna adoração pretende ser e que é professada em seu nome.

P. Gibbs descreve a falsa e decisivamente ritualista adoração de muitas igrejas contemporâneas:

Muito do assim chamado "culto público" na cristandade é meramente uma forma de judaísmo cristianizado, e, em alguns casos, um tenuamente velado paganismo [...]. No judaísmo havia uma casta sacerdotal separada que detinha a exclusividade de liderar a adoração de Israel. No mundo cristão, um sacerdócio artificial chamado "clérigo" é essencial para a adoração, apesar do claro ensino do Novo Testamento de que todos os crentes são sacerdotes. Aqueles sacerdotes do judaísmo usavam uma veste diferenciada, como fazem também os clérigos. O judaísmo enfatizava um santuário, ou edifício, terreno. De maneira semelhante, o mundo cristão dá muito valor a seus consagrados "locais de adoração", e erroneamente denomina o edifício "uma igreja", referindo-se a ela como "casa de Deus". Os sacerdotes judeus tinham um altar no qual ofereciam sacrifícios a Deus. A cristandade erigiu "altares" nesses edifícios ornamentados, perante os quais são queimadas velas e é oferecido incenso, e, em muitos casos, ali se mantém uma hóstia, que é vista como o corpo de Cristo! É desnecessário dizer que essa imitação do judaísmo é completamente estranha ao ensino do Novo Testamento.

Assim, a cristandade iniciou seu próprio sacerdócio especialmente educado e ordenado, cuja presença é indispensável para "administrar os sacramentos". Esses homens trajados em bonitas vestes, num "santuário" isolado, estão em pé diante de um "altar" sem sangue, com um pano de fundo repleto de velas acesas, cruzes e fumaça de incenso, e "conduzem a adoração" para os leigos. Recorrendo a um ritual elaborado, com orações estereotipadas e respostas do auditório, todo o culto transcorre sem percalços e com precisão mecânica. É uma maravilha da invenção e da ingenuidade humanas, com indubitável apelo à estética; mas um trágico e triste substituto à adoração espiritual, a qual nosso Senhor declarou que seu Pai buscava de seus filhos redimidos.[1]

Se nosso Senhor viesse hoje, ele condenaria esse tipo de adoração ritualista. Ele censuraria os sabatistas legalistas. Contestaria também a adoração menos formal de muitas igrejas evangélicas, mais semelhantes à adoração samaritana – não tão ritualista, mas frequentemente externa, superficial, ignorante ou erroneamente motivada e, portanto, inaceitável.

Cristo nos conduziu a uma nova era de verdadeira adoração – uma adoração que não foca o exterior ou o simbólico, mas o interior e o genuíno. Isso é o que o Pai procura, e isso é o que o Filho requer. Qualquer coisa aquém disso deixa a desejar.

---

[1] GIBBS, A. P. *Worship*. Kansas City: Walterick, s.d., p. 97-98.

CAPÍTULO DEZ

ESTE DEVE SER O LUGAR

Quando Jesus se dirigia pessoalmente a alguém, certamente era difícil se esquivar. A mulher junto ao poço ficou visivelmente afetada pela compreensão de que Jesus conhecia seu pecado. Sua consciência foi atingida. Sua alma foi cravada. Ela foi desmascarada como adúltera e percebeu que era uma transgressora da aliança – uma estranha às coisas de Deus.

Apesar de sua vida de pecado, a resposta da mulher a Cristo demonstrou que possuía um coração aberto. E a conscientização começou a despertar em seu coração e em sua mente a constatação de que ela estava separada da verdade, separada da vida e da retidão. Ela sentiu um forte peso de condenação, e sua reação imediata às palavras de Jesus foi um desejo de acertar as coisas. Seu primeiro pensamento foi de adoração a Deus, e ela pediu a Jesus que lhe dissesse onde deveria adorar – no monte Gerizim ou em Jerusalém. Os judeus estavam em Jerusalém adorando à sua maneira. Os samaritanos estavam em Gerizim adorando do jeito deles. Qual grupo estava agindo corretamente?

Como já dissemos, a confusão da mulher aumentou por causa de sua perspectiva social superficial, que a levava a crer que a adoração é algo que se faz num lugar designado, num tempo fixado e de uma forma ritual. E a mulher não tinha certeza de qual lugar era o certo. Por isso ela perguntou a Jesus. Ele lhe disse que em breve não haveria "aqui" ou "ali". A adoração não é uma atividade a ser confinada num lugar específico, em determinado tempo e de uma forma estabelecida.

E QUANTO AO TEMPLO?

A resposta de Jesus levanta algumas questões interessantes. Em primeiro lugar, precisamos indagar se o local de adoração tem alguma importância.

ESTE DEVE SER O LUGAR

Se não tem, qual era o propósito do templo? Se a adoração não deveria ficar confinada a um lugar, por que foi construído um lugar único de adoração? E por que nós adoramos num templo?

Percebemos uma certeza nas palavras de Jesus: o antigo sistema está morto. O local de adoração não é o monte Gerizim, e não é o templo em Jerusalém. Os antigos rituais cerimoniais e as velhas observâncias terminaram. Não há lugar hoje para uma elite sacerdotal, para altares, missas, velas acesas ou fumaça de incenso. Essas coisas representam o judaísmo, o paganismo e a tradição extrabíblica herdada dos ancestrais no meio de alianças, que ignoram o novo e vivo caminho e o sacerdócio de todos os crentes.

Antes de mais nada, é essencial compreender que o templo era apenas um símbolo de residência, e um de seus maiores propósitos era estimular a adoração como estilo de vida em Israel. Se isso não for compreendido, perde-se o propósito do templo. Templos são símbolos, não realidades, assim como o sistema de sacrifícios e dos sábados eram símbolos de realidades maiores. A mulher precisava compreender isso, da mesma forma que nós também precisamos.

TEMPLOS VIVOS

Que nova realidade assume o lugar do templo do Antigo Testamento? Paulo escreveu sobre um aspecto dessa realidade à igreja de Corinto: *Ou não sabeis que o vosso corpo é santuário do Espírito Santo, que habita em vós?* (1Coríntios 6:19).

Todo crente é um templo vivo no qual Deus habita. Isso significa que os crentes podem adorar em qualquer lugar, em qualquer tempo – Deus está com eles em presença constante. O cristão pode adorar a Deus na praia, nas montanhas, dirigindo na estrada, sentado debaixo de uma árvore, caminhando pela floresta, correndo no campo, sentado na sala de estar, contrito na igreja ou sob qualquer tipo de circunstância ou condição em qualquer parte em que estiver. A esfera de adoração é ilimitada.

Em Hebreus 10:19,20, depois das maravilhosas declarações sobre o sacrifício de Jesus Cristo, que nos santifica de uma vez por todas, e sobre a nova aliança, que nos dá acesso a Deus, lemos as palavras: *Portanto, irmãos, tendo coragem para entrar no lugar santíssimo por meio do sangue de Jesus, pelo novo e vivo acesso que ele nos abriu.*

Essa é a suprema realidade da adoração. Deus nos permitiu entrar no lugar santíssimo por meio do sangue de Cristo. Isso não podia ser feito pelos que viviam sob a antiga aliança. Eles adoravam Deus a distância.

Você, que acredita na nova aliança, foi aproximado de Deus para sempre. Cristo foi à cruz e se ofereceu para dar a você acesso à livre adoração a Deus – para introduzi-lo no lugar santíssimo. O convite está sempre aberto, como enfatizou o escritor de Hebreus: *Aproximemo-nos com coração sincero, com plena certeza da fé, com coração purificado da má consciência e tendo o corpo lavado com água limpa* (Hebreus 10:22). Tiago repetiu essa verdade ao escrever: *Achegai-vos a Deus, e ele se achegará a vós* (Tiago 4:8).

Nós fomos salvos para que o caminho para Deus possa ser aberto. Podemos entrar no lugar santíssimo e nos aproximar com coração verdadeiro, sabendo que somos bem-vindos ali pelo novo e vivo caminho – em qualquer lugar, em qualquer tempo.

Assim, em certo sentido, não precisamos ir a uma igreja para adorar a Deus –, mas existe outra dimensão.

UMA COMUNIDADE QUE ADORA

Hebreus 10 continua: *Pensemos em como nos estimular uns aos outros ao amor e às boas obras, não abandonemos a prática de nos reunir* (v. 24,25). Como crentes, devemos nos reunir para nos estimular uns aos outros ao amor (que é compartilhar) e às boas obras (que é fazer o bem). Lembre-se de que essas duas atividades constituem a adoração (v. Capítulo 3, anteriormente).

Adorar a Deus não é realmente uma questão geográfica, mas não exclui a adoração congregacional, nem significa que um templo não possa ser especialmente designado para adoração. De fato, mesmo sob a nova aliança, Deus tem um templo, à parte do templo do nosso corpo individual, no qual ele se reúne com seu povo. É um edifício muito especial. Paulo o descreve em Efésios 2:19-22:

Assim, não sois mais estrangeiros, nem imigrantes; pelo contrário, sois concidadãos dos santos e membros da família de Deus, edificados sobre o fundamento dos apóstolos e dos profetas, sendo o próprio Cristo Jesus a principal pedra de esquina. Nele, o edifício inteiro, bem ajustado, cresce para ser templo santo no Senhor, no qual também vós, juntos, sois edificados para morada de Deus no Espírito.

Todos os crentes estão ligados como concidadãos do reino da luz. Todos os que conhecem Cristo pertencem à família de Deus. A igreja é uma família, unida pela cidadania comum e pela vida comum. No entanto, existe mais. Como crentes, somos um edifício construído sobre o fundamento dos apóstolos e dos profetas, e Jesus Cristo mesmo é a pedra de esquina. Nós somos um templo, edificados uns nos outros e em crescimento – a habitação de Deus pelo Espírito.

A assembleia visível e viva dos santos redimidos torna-se o grandioso templo espiritual de Deus.

Isso não nega a verdade de que o corpo de cada crente é também o templo do Espírito Santo. Porém, num sentido mais amplo, a assembleia visível e viva dos santos redimidos torna-se o grandioso templo espiritual de Deus, no qual o Espírito Santo habita permanentemente e Jeová se reúne com seu povo. Em 1Coríntios 6:19, quando Paulo escreveu sobre crentes como templos, ele tinha em mente crentes individuais. Mas três capítulos antes, em 1Coríntios 3:16, quando ele indagou: *Não sabeis que sois santuário de Deus?*, o pronome usado é "vós", no plural. O apóstolo estava falando no sentido coletivo, da comunidade dos santos, como local de habitação de Deus.

Em 2Coríntios 6:16 encontramos: *Pois somos santuário do Deus vivo, como ele disse: Habitarei neles e entre eles andarei.* Deus se move no meio da comunidade dos santos e, quando a igreja se reúne, Deus está no meio dela. A igreja é a habitação especial – mais real que os edifícios simbólicos do

Antigo Testamento –, um templo que Deus abençoa com sua maravilhosa presença.

A primeira carta de Pedro 2:5 diz: *Vós também, como pedras vivas, sois edificados como casa espiritual para serdes sacerdócio santo, a fim de oferecer sacrifícios espirituais aceitáveis a Deus, por meio de Jesus Cristo.* Essa é uma descrição da adoração. A igreja não é um edifício feito de pedras. É um edifício feito de carne. Nós, crentes, somos pedras vivas do templo de Deus e, quando nos reunimos, constituímos um lugar de adoração no qual Deus está presente e à vontade conosco. Os crentes são, assim, templos vivos de Deus, oferecendo a ele sacrifícios espirituais de uma forma que é não possível realizar em outra parte, a não ser na assembleia da igreja redimida.

SEM REQUINTE, PORÉM COM CONTEÚDO

A adoração conjunta não é o que a maioria das pessoas pensa ser. Muitos entendem adoração na igreja como uma atividade mais ou menos formal que acontece uma vez por semana. Até mesmo a abordagem mais casual à adoração é "formal" em algum sentido: ela segue um padrão e inclui certas características como música, oração, ofertório, um sermão e a observância de ordenanças – pelo menos batismo e ceia do Senhor. Quando as pessoas falam hoje sobre adoração, em geral têm em mente a forma, o estilo, as atividades e as ordenanças – em vez do conteúdo. (Na verdade, no uso coloquial, a palavra *adoração* praticamente se tornou sinônimo de música, e todas as outras ações do nosso culto público praticamente se referem a algo que não é adoração.)

Mas o que é verdade em nossa vida individual sob a nova aliança, é também verdade na reunião dos crentes: na adoração, o que está em jogo não são as atividades externas. A adoração é o que acontece em nosso coração quando adoramos ao Deus a quem cantamos, oramos e obedecemos – o Deus cuja Palavra o pregador proclama. A adoração é a *resposta* espiritual adequada a essas atividades, e não as atividades em si.

É por isso que a verdadeira adoração não pode ser estimulada por efeitos especiais, entretenimento ou manipulação emocional. Essas coisas podem atrair multidões, mas não têm nada que ver com a adoração autêntica. Na verdade, elas prejudicam a adoração.

Mas a adoração também não é automaticamente ativada pela tentativa de alguém de santificar o ambiente. As pessoas têm me sugerido que deveríamos colocar placas em torno da igreja com os dizeres: "Silêncio!" ou "Mantenha silêncio no local de adoração". Algumas igrejas inserem um aviso no boletim pedindo para as pessoas não conversarem ao entrar. Para alguns, luzes bruxuleantes, velas, símbolos religiosos decorativos, incenso e música de órgão são necessários, supostamente para preparar o aspecto adequado para a adoração. Suponho existirem alguns que pensam que o pastor deveria colocar campainhas em sua túnica para que, ao entrar no culto como o sacerdote de antigamente, e ouvir aquela campainha de trenó, todos saibam que é o momento de santidade.

Na verdade, isso não é tão ilógico quanto pode parecer. Velas, incenso, mitra e outros adornos são emprestados nos anos recentes da cerimônia do alto clero medieval. Não é incomum hoje em dia encontrar essas coisas – e outros paramentos da religião altamente formal – misturadas incongruentemente com a informalidade de uma casa com estilo de igreja, uma conversa desestruturada em vez de um sermão, ou aconchegantes cadeiras dispostas em círculos em vez de fileiras de bancos de igreja.

A ideia por trás de tais embelezamentos é que essa atmosfera e as atividades exteriores são os fundamentos reais da adoração coletiva. Nada poderia estar mais distante da verdade. Na realidade, nem velas, nem cruzes, nem almofadas, nem café acrescentam alguma coisa à nossa adoração pública. De fato, nossos artifícios e símbolos litúrgicos da cultura popular tendem igualmente a reduzir a adoração autêntica.

A adoração não é energizada por ajudas artificiais. Se você sente que *precisa* muito de algum ritual altamente formalizado, ou de certo tipo de música que propicie a atmosfera para adorar, o que você está fazendo não é, em absoluto, adoração. A música e a liturgia podem, talvez, ajudar ou expressar um coração adorador, mas não podem fazer o coração que não é adorador se tornar um. O perigo é que elas podem dar a um coração não adorador a sensação de ter adorado.

Por isso, o fator crucial para adorar na igreja não é a forma da adoração, mas o estado do coração dos santos. Se a nossa adoração em conjunto não for a expressão de cada vida individual de adoração, ela é inaceitável. Se você pensa que pode viver do jeito que quiser e depois ir à igreja na manhã de domingo e se conectar à adoração com os santos, você está errado.

A adoração não ocorre num vácuo. Como crentes, somos responsáveis perante o resto da igreja por manter um estilo de vida consistente de adoração autêntica e aceitável. Nossa falha em fazer isso afetará negativamente o restante do corpo de Cristo, assim como o pecado de Acã teve efeitos desastrosos sobre toda a nação de Israel. O que fazemos durante a semana afeta os membros da igreja com quem adoramos no domingo.

ADORAR É DAR

A reunião regular dos santos é um elemento essencial no novo e vivo estilo de adoração. Quando os redimidos se reúnem – corações transbordando de louvor cultivado por estilos de vida de adoração pura e aceitável –, toda a congregação é mutuamente estimulada a adorar a Deus. Deve haver uma explosão, um transbordamento de verdadeiro louvor e sincera adoração, porque o que foi desfrutado individualmente é expresso, depois enriquecido e aprimorado quando levado à alegria da assembleia. Os resultados são poderosos.

Por que você vai à igreja? Quando você se reúne com os santos, é realmente para adorar? Ou você vai à igreja pelo que pode extrair dela? Você critica a solista, o coral e a mensagem do pastor?

Por que você vai à igreja?

Durante muito tempo, fomos condicionados a pensar que a igreja serve para nos entreter. Não é esse o caso. Søren Kierkegaard disse: "As pessoas imaginam que o pregador é um ator num palco e que elas são os críticos, repreendendo ou elogiando o desempenho. O que elas não sabem é que *elas* são os atores sobre o palco; o pastor é meramente o que dita o ponto em voz baixa, nos bastidores, lembrando-as das falas esquecidas". *E Deus é a plateia!*

Não é incomum ouvir alguém dizer: "Eu não recebi nada da igreja". Minha resposta é: "O que você deu a Deus? Quanto seu coração estava preparado para dar?"

Se você vai à igreja egoisticamente para buscar uma bênção, você perdeu o propósito da adoração. Nós vamos para dar glória, não para conseguir bênção. A compreensão disso afetará a maneira pela qual você analisa a experiência na igreja. A questão não é: Consegui algo daqui? Mas, sinceramente: Eu dei glória a Deus? Desde que a bênção vem de Deus em resposta à adoração, se você não é abençoado, normalmente não é por causa da música ou da pregação pobre (embora elas possam ocasionalmente ser obstáculos insuperáveis), mas por causa de um coração egoísta que não dá glória a Deus.

SIMBIOSE

Embora a adoração verdadeira seja fortemente pessoal, não há nada de egocêntrico nela. Se os crentes devem manter um estilo de vida consistente de adoração contínua, eles precisam da comunhão e do encorajamento de outros crentes quando se reúnem para a adoração em grupo. A adoração individual e a adoração conjunta alimentam uma à outra. Assim, de um lado, eu preciso da comunhão dos santos. Por outro lado, a comunidade dos santos precisa de mim para ter uma vida perseverante de adoração.

A origem da maioria dos problemas que as pessoas têm na vida cristã está relacionada a duas coisas: ou não estão adorando seis dias por semana com a vida delas, ou não estão adorando um dia por semana com a assembleia dos santos. Nós precisamos de ambos.

Se você vai à igreja apenas quando é conveniente, nunca será produtivo como cristão. Você não pode prosperar espiritualmente por si mesmo; você precisa do estímulo espiritual de seus irmãos em Cristo. Vivemos numa sociedade tão descomprometida, negligente e irreverente que as pessoas não assumem compromissos consistentes e sinceros, e depois querem saber por que fracassam. A resposta é clara. Nosso crescimento e nossa estabilidade espirituais não pode ser bem-sucedidos sem o apoio e o encorajamento de outros cristãos.

Não precisamos de sacrifícios de animais nem de sacerdotes como intermediários entre nós e Deus. O sacrifício foi oferecido de uma vez por todas. Temos acesso imediato a Deus por nós mesmos. Mas precisamos das pedras vivas colocadas umas sobre as outras que formam a habitação do Deus vivo.

Um pastor foi visitar um homem que não frequentava com dedicação a igreja. O homem estava sentado diante do fogo, observando o brilho quente das brasas. Era um dia frio de inverno, mas as brasas estavam vermelhas de calor, e o fogo estava quente. O pastor pediu ao homem que fosse mais fiel em se reunir com o povo de Deus, mas o homem parecia não compreender a mensagem.

Por isso, o pastor pegou as tenazes ao lado da lareira, abriu a tela, estendeu a mão e começou a separar todas as brasas. Quando nenhuma delas estava mais tocando as outras, ele se colocou em pé e ficou observando em silêncio. Em poucos instantes, todas as brasas esfriaram. "É isso o que está acontecendo em sua vida", ele disse ao homem. "Assim que você se isola do povo de Deus, o fogo se apaga."

O homem compreendeu a mensagem.

A igreja não é um edifício de tijolo e massa no qual a assembleia se reúne; é o povo de Deus no qual ele habita. É na igreja – entre o povo de Deus – que nossa adoração mais se parece com a adoração do céu. Quem não gostaria de participar disso?

Devemos ter um coração adorador para sermos estímulo espiritual a outros enquanto nós mesmos somos encorajados a praticar o amor e as boas obras. À medida que o catalisador de nossa mútua devoção a Cristo afeta nossa alma, nós fazemos o bem e compartilhamos. O ciclo se completa quando vivemos do transbordamento de louvor e contínuo coração de ação de graças. Então a adoração é verdadeiramente um estilo de vida. Para isso fomos redimidos.

CAPÍTULO ONZE

ADORAÇÃO AO PAI

A terminologia que Jesus empregou para falar sobre Deus à mulher samaritana em João 4 é significativa. Todo o seu discurso sobre a adoração focava a importância de uma resposta apropriada a uma compreensão adequada da natureza de Deus. O local da adoração não é mais a principal preocupação, disse ele à mulher. A questão não é *onde* se adora, mas *a quem* se adora e *como* se adora.

Ao falar à mulher junto ao poço, Jesus usou dois substantivos para se referir a "quem" adorar – "Pai" e "Espírito" – e ambos são essenciais para identificar o único alvo legítimo da verdadeira adoração.

Nos primeiros capítulos deste livro, analisamos atentamente alguns atributos de Deus. Vimos que Deus é um ser pessoal, espiritual, trino, imutável, Todo-poderoso, onipresente, onisciente e santo. No contexto de João 4, Jesus resume tudo isso para a mulher junto ao poço, e o diz nestes termos: o verdadeiro adorador deve entender Deus como Pai e como Espírito.

Já debatemos que o Pai é um espírito imortal, invisível e onipresente (v. Capítulo 5, anteriormente). Ele não pode ser visto nem tocado, e não pode ser representado por um ídolo ou algum tipo de imagem. Por isso, a adoração a ele oferecida deve ser uma adoração espiritual.

Mas o adorador pode ter o conceito de um Deus santo, onipotente, onipresente, amoroso e justo que é um espírito, e ainda assim não chegar a adorar o Deus verdadeiro. A característica mais abrangente e clara que distingue o Deus verdadeiro se encontra no título que Jesus usou para Deus com mais frequência que qualquer outro – Pai.

"Pai" foi o título favorito que Jesus empregou em relação a Deus. Os Evangelhos registram cerca de setenta vezes em que Jesus falou a Deus, e em todas elas, ele o chamou de Pai, exceto quanto estava na cruz, suportando o julgamento pelos pecados do homem. Nesse momento ele disse: *Deus meu, Deus meu, por que me desamparaste?* (Mateus 27:46).

"Pai" foi o título favorito que Jesus empregou
em relação a Deus.

ADORAR O PAI

Três vezes em João 4, Jesus falou sobre adorar *o Pai*. Em João 4:21, lemos: *Adorareis o Pai*. E o final do versículo 23 conclui: *são esses os adoradores que o Pai procura*.

A ideia da paternidade de Deus é em geral compreendida equivocadamente. Quando nos referimos a Deus como Pai, normalmente pensamos nele como *nosso* Pai amoroso. Somos seus filhos, e ele é o nosso Pai, e nós o adoramos como Espírito onipotente, onipresente, eterno e onisciente, mas também como Pai íntimo, amoroso e pessoal. E Deus é todas essas coisas. No entanto, Jesus se refere a Deus apenas uma vez como *nosso Pai* e nesse caso não estava se dirigindo frontalmente a Deus; tratava-se de um modelo de oração, como nos mostra o texto, porque Jesus não precisaria pedir perdão (Mateus 6:9). Várias vezes nesse mesmo capítulo, Jesus se refere a Deus como *vosso Pai*, falando aos discípulos. Assim, é correto pensar em Deus como *nosso* Pai.

Mas, em João 4, e em todas as outras citações no Novo Testamento, quando Jesus se refere a Deus como "Pai", ele não está falando sobre a paternidade de Deus em relação aos crentes. Sempre que Jesus usou o termo, foi em referência à posição de Deus, o Pai, na Trindade, particularmente quando relaciona o Filho a ele.

COMO DEUS É PAI DE JESUS?

Ao reconhecer Deus como seu Pai, Jesus não estava dizendo que tinha origem nele ou dele descendia. A ideia do relacionamento Pai-Filho na Trindade não é, em absoluto, que Jesus seja alguém menos que o próprio Deus. Não se trata de ele ter sido concebido no tempo por Deus. Não se

ADORAÇÃO AO PAI

trata, literalmente, de ter algum tipo de descendência genética de Deus, o Pai. O fato de ser Filho de Deus certamente não significa que ele teve, de alguma forma, uma origem. Jesus é um ser eterno que não descendeu de ninguém.

Nem o nosso Senhor está se referindo principalmente à sua submissão à vontade do Pai. Embora os elementos de autoridade e submissão entrem no relacionamento Pai-Filho, não é essa a ênfase principal.

Ao contrário, a significância do relacionamento entre eles é que o Filho é da mesma essência, da mesma natureza do Pai. O uso do título por Jesus objetivava expressar igualdade de divindade. Pai e Filho compartilham a mesma natureza e as mesmas características. Quando Jesus disse que Deus era seu Pai, estava reivindicando a mesma igualdade com Deus, e os judeus de seus dias compreenderam corretamente o significado de suas palavras.

Em João 5:17, lemos a resposta de Jesus aos judeus que o perseguiam por aquilo que ele fizera no dia de sábado: *Meu Pai trabalha até agora, e eu trabalho também.* Como os judeus compreenderam essas palavras? O versículo 18 nos diz: *Por isso, os judeus procuravam ainda mais matá-lo, não só porque infringia o sábado, mas também porque dizia que Deus era seu Pai, fazendo-se igual a Deus.*

E isso era de fato exatamente o que Jesus estava dizendo. Ele estava falando sobre a igualdade entre ele e o Pai em termos de ser, essência, natureza e divindade. Jesus é Deus, como certamente o Pai é Deus, e, quando Jesus o chamou de Pai, o significado ficou claro para os que o ouviram.

Em João 10:29, Jesus diz: *Meu Pai, que as deu para mim, é maior do que todos; e ninguém pode arrancá-las* [as minhas ovelhas] *da mão de meu Pai.* E ele continua no versículo 30: *Eu e o Pai somos um.*

O versículo seguinte nos diz que os judeus pegaram em pedras para apedrejá-lo.

Jesus lhes respondeu: *Eu vos mostrei muitas boas obras da parte de meu Pai; por qual delas quereis me apedrejar?* Os judeus lhe responderam: *Não é por alguma boa obra que queremos te apedrejar, mas por blasfêmia, pois, sendo tu apenas um homem, te fazes Deus* (v. 32,33).

Quando Jesus disse que Deus era seu Pai, eles perceberam que ele queria dizer que compartilhava a essência de Deus. Jesus estava afirmando sua divindade, afirmando ser plenamente igual ao único verdadeiro, soberano e santo Deus.

João 17:1-3 registra a notável oração de Jesus ao Pai na noite em que foi preso. A oração começa assim:

> Pai, chegou a hora. Glorifica teu Filho, para que também o Filho te glorifique, assim como lhe deste autoridade sobre toda a humanidade, para que conceda a vida eterna a todos os que lhe deste. E a vida eterna é esta: que conheçam a ti, o único Deus verdadeiro, e a Jesus Cristo, que enviaste.

Dessa forma, Jesus se iguala ao Pai e diz que a vida eterna consiste em conhecer o Filho de Deus tanto quanto conhecer Deus, o Pai. No versículo 5, ele prossegue: *Agora, pois, glorifica-me, ó Pai, junto de ti mesmo, com a glória que eu tinha contigo antes que o mundo existisse.* Essa é uma clara declaração de que Jesus e Deus, o Pai, são e sempre foram iguais.

Em Mateus 11:27, lemos as palavras de Jesus: *Todas as coisas me foram entregues por meu Pai; e ninguém conhece o Filho, senão o Pai; e ninguém conhece o Pai, senão o Filho e aquele a quem o filho o quiser revelar.* O Senhor está repetindo a inigualável unidade essencial do Pai e do Filho. Há uma intimidade de conhecimento entre Pai e Filho que não está disponível à percepção humana.

Em João 14:9, Jesus diz a seus discípulos: *Quem vê a mim, vê o Pai.* Essa é a verdade essencial do ensino de Jesus: ele é o Filho de Deus. Sempre que Jesus chamou Deus de Pai, era uma corajosa e inequívoca declaração de sua divindade, uma afirmação de sua inerente igualdade com Deus.

O DEUS E PAI DE NOSSO SENHOR JESUS

Que Deus é singularmente identificado como Pai do Senhor Jesus é uma verdade importante e frequentemente enfatizada nas Escrituras. Em Efésios 1, Paulo apresenta um dos maiores hinos de louvor registrados na

Bíblia. De fato, do versículo 3 ao versículo 14 temos uma das mais longas sentenças de louvor, que começa no versículo 3: *Bendito seja o Deus e Pai de nosso Senhor Jesus Cristo.*

No versículo 17 do mesmo capítulo, Paulo ora ao *Deus de nosso Senhor Jesus Cristo, o Pai da glória.* Paulo tem sempre o cuidado de identificar Deus com o Senhor Jesus Cristo. Segunda aos Coríntios 1:3 dá início à segunda epístola de Paulo àquela turbulenta igreja. Ele escreveu: *Bendito seja o Deus e Pai de nosso Senhor Jesus Cristo.* Em Romanos 15:6, Paulo exortou a igreja a glorificar *o Deus e Pai de nosso Senhor Jesus Cristo.*

Outros escritores do Novo Testamento além de Paulo falaram da mesma perspectiva. Pedro escreveu: *Bendito seja o Deus e Pai de nosso Senhor Jesus Cristo* (1Pedro 1:3). O apóstolo João escreveu: *Graça, misericórdia e paz da parte de Deus Pai e de Jesus Cristo, o Filho do Pai* (2João 3).

HÁ UM SÓ DEUS

Os que dizem adorar a Deus, que afirmam que Deus é o eterno Espírito vivo, sempre presente, e que o chamam de Pai, mas negam que Jesus Cristo é essencialmente o mesmo Deus, estão oferecendo adoração inaceitável. Deus nunca pode ser adorado, a menos que seja adorado como o Pai do Senhor Jesus Cristo.

Alguns afirmam que os muçulmanos, judeus e cristãos, todos adoram o mesmo Deus, somente de maneiras diferentes. Isso não é verdade. O único Deus verdadeiro é o Pai do Senhor Jesus Cristo. Ele não pode ser definido em quaisquer outros termos. Os russelitas, também conhecidos como testemunhas de Jeová, ou os liberais que alegam adorar a Deus, mas negam a divindade de Jesus Cristo, adoram um deus diferente do Deus da Bíblia. Eles estão oferecendo uma adoração inaceitável.

Não é suficiente afirmar que Deus é o Pai de toda a humanidade e adorá-lo com base nessa crença sem levar em conta o entendimento bíblico de quem ele é. No mesmo contexto em que Jesus disse: *Quem vê a mim, vê o Pai* (João 14:9), ele assegurou: *Ninguém chega ao Pai, a não ser por mim* (v. 6). A única maneira de alguém chegar a Deus é reconhecê-lo como Pai de nosso Senhor Jesus Cristo.

ADORAÇÃO TRINITARIANA

A doutrina trinitariana, portanto, é essencial à verdadeira adoração. João 5:23 é a correlação lógica com o ensino de Jesus de que Deus é especificamente seu Pai: *Para que todos honrem o Filho, assim como honram o Pai. Quem não honra o Filho não honra o Pai que o enviou.* Honra é uma palavra que implica adoração. Não devemos apenas adorar o Pai; devemos também adorar o Filho.

A doutrina trinitariana, portanto, é essencial
à verdadeira adoração.

Isso tem implicações importantes na forma como conduzimos a adoração. De fato, a única forma de adorar o Pai é adorar o Filho. Tomé caiu de joelhos diante de Jesus ressuscitado e exclamou: *Senhor meu e Deus meu!* (João 20:28). Ele adotou a perspectiva correta de adoração. Deus somente pode ser adorado quando é entendido como um com seu Filho, que deve receber a mesma honra que o Pai.

Jesus encorajou a mulher samaritana a reconhecê-lo como Filho de Deus – para adorá-lo. Ele não precisou dizer: "Adore-me". Simplesmente afirmou que Deus é seu Pai. Todavia, a conclusão é a mesma: Jesus Cristo é Senhor. Este, então, é o fator preponderante em toda adoração: nós somente chegamos a Deus por intermédio de Cristo, e chegamos a Cristo ao chegar a Deus. A adoração ao Pai não pode ser separada da adoração ao Filho.

Adoramos o Pai e adoramos o Filho, mas e quanto ao Espírito Santo? Nada nas Escrituras nos instrui diretamente a adorarmos o Espírito Santo, mas a adoração não pode ser separada de sua obra. Ele é o Espírito que nos dá confiança para chegarmos à presença de Deus e clamarmos: *Aba, Pai,* de acordo com Gálatas 4:6 e Romanos 8:15,16. É no poder e na presença do Espírito que temos acesso para adorar a Deus.

Sabemos que o Espírito é igual ao Filho e ao Pai, de modo que parece óbvio que ele também seja digno de adoração. Embora as Escrituras não ressaltem esse ponto especificamente em razão da ênfase no ministério do Espírito, é uma observação necessária. O Espírito Santo é chamado de Espírito de Deus em muitas passagens bíblicas. Em Romanos 8, ele é chamado de Espírito de Cristo. Ele é a exata essência de Deus, o Pai, que, da mesma forma, é a exata essência de Deus, o Filho. Jesus declarou a respeito do Espírito que ele é *o Espírito da verdade, que procede do Pai* (João 15:26). A palavra grega traduzida por *procede* é uma expressão que seria tipicamente usada para indicar "expelir a respiração". É a mesma palavra usada em Mateus 4:4 em referência a *toda palavra que sai da boca de Deus*. É também o termo empregado para descrever os cavalos que expeliam fogo pela boca em Apocalipse 9:17: *e de sua boca saíam fogo, fumaça e enxofre.*

Por isso, quando Jesus disse que o Espírito Santo *procede* de Deus, ele estava afirmando o papel do Espírito e sua posição como terceiro membro da Trindade. Jesus estava ensinando que essa pessoa, que conhecemos como o Espírito de Deus e o Espírito de Cristo, é análoga ao sopro e à expressão do Todo-poderoso. Como tal, o Espírito Santo certamente é digno de nossa adoração.

Na Trindade, cada membro tem um ministério singular. O Espírito Santo nos chama para o Filho, e o Filho nos chama para o Pai. E assim, de certa forma, nossa adoração envolve todos os membros da Trindade, e todos são dignos de adoração.

A BASE DA VERDADEIRA ADORAÇÃO

Assim, está claro que, em João 4, quando Jesus usa o termo *Pai*, ele está identificando cuidadosamente o objeto da verdadeira adoração. É o Deus das Escrituras – o único Deus tanto do Antigo quanto do Novo Testamentos –, e não algum ser espiritual incerto, indefinido, que aceita adoração sob vários nomes e identidades, mas o Deus, Pai de nosso Senhor Jesus Cristo e um em essência com ele. E nós chegamos ao Pai somente por intermédio do Filho, e somente no poder do Espírito Santo.

Isso confirma mais uma vez que apenas o verdadeiro crente em Jesus Cristo é capaz da verdadeira adoração. Apenas o cristão tem acesso ao Filho por intermédio do Espírito, por isso apenas o cristão pode chegar perante Deus para oferecer adoração.

Jesus resumiu isso numa simples declaração: *Ninguém chega ao Pai, a não ser por mim* (João 14:6).

CAPÍTULO DOZE

ADORAÇÃO EM ESPÍRITO E EM VERDADE

A mulher junto ao poço estava buscando o método adequado de adoração, mas reconhecia apenas duas opções: o método samaritano e o judeu. Jesus lhe mostrou o método divino, mostrando que as duas únicas formas de adoração que ela conhecia eram inaceitáveis.

O estilo samaritano de adoração se apoiava na ignorância. O conhecimento espiritual dos samaritanos era limitado porque eles rejeitavam o Antigo Testamento, com exceção do Pentateuco. A religião samaritana se caracterizava pela adoração entusiástica sem informação apropriada. Eles queriam adorar em espírito, mas não em verdade. Foi por isso que Jesus disse: *Vós adorais o que não conheceis* (João 4:22).

Os judeus estavam na situação oposta; aceitavam todos os livros do Antigo Testamento, possuíam a verdade, mas careciam de espírito. Quando os fariseus oravam, davam esmolas ou jejuavam, não colocavam o coração nisso. Jesus os chamou de hipócritas, falsos e túmulos caiados, cheios de ossos de cadáveres. Em Marcos 7:6, Jesus se dirigiu aos fariseus e escribas: *Hipócritas, bem profetizou Isaías acerca de vós, como está escrito: Este povo honra-me com os lábios; seu coração, porém, está longe de mim.*

Em outras palavras, a adoração que ocorria no monte Gerizim era uma heresia entusiástica. A adoração oferecida em Jerusalém era estéril, uma ortodoxia sem vida. Jerusalém possuía a verdade, mas não o espírito. Gerizim possuía o espírito, mas não a verdade. Jesus censurou ambos os estilos quando disse: *Deus é Espírito e importa que os seus adoradores o adorem em espírito e em verdade* (João 4:24, ARA).

Os dois inimigos da verdadeira adoração são Gerizim e Jerusalém. Sinceridade, entusiasmo e vigor são importantes, mas devem estar baseados na verdade. E a verdade é fundamental; porém, se não resultar de um coração disposto, animado e empolgado, é deficiente. A heresia entusiástica é calor sem luz. A ortodoxia estéril é luz sem calor.

Os mesmos extremos ainda estão conosco hoje. Por outro lado, há grupos que se reúnem, dão as mãos, balançam para trás e para a frente, entoam cânticos e, empolgados, falam em línguas. Não se pode culpá-los por seu entusiasmo, mas com muita frequência trata-se de mero zelo sem conhecimento.

Adoração com entusiasmo não é suficiente. Nenhum grupo de adoradores é mais animado que os muçulmanos xiitas: uma vez por ano, eles abrem o couro cabeludo com navalhas e depois batem na cabeça com o lado liso da lâmina para estimular o sangramento. Homens, meninos e até bebês têm a cabeça lacerada com golpes rápidos de uma lâmina e depois marcham ao redor da praça diante da mesquita, sangrando muito, enquanto milhares observam e cantam. Eles fazem isso para celebrar a morte de um líder muçulmano ocorrida há mais de doze séculos, e consideram adoração essa terrível exibição. Esse é um exemplo extremo de em que a adoração sem a verdade pode se tornar.

O Pai procura tanto o entusiasmo quanto a ortodoxia, o espírito e a verdade.

Por outro lado, há os que se mantêm firmes à sã doutrina, mas perderam o fervor da fé verdadeira. Eles conhecem a verdade, mas não podem se animar com ela. Talvez alguns deles frequentem a sua igreja.

O Pai procura tanto o entusiasmo quanto a ortodoxia, o espírito e a verdade.

ADORAR EM ESPÍRITO

O que significa adorar em espírito? A palavra *espírito* em João 4:24 (ARA) se refere ao espírito humano, à pessoa interior. Adorar é fluir de dentro para fora. Não é uma questão de estar no lugar certo, na hora certa, com as palavras certas, com a atitude certa, com as roupas certas, com formalidades certas, a música certa e o humor certo. Adorar não é uma atividade externa para a qual um ambiente deva ser criado. É algo que acontece no interior, no espírito.

Paulo compreendeu esse tipo de adoração. Em Romanos 1:9, ele escreveu: *Deus, a quem sirvo em meu espírito, no evangelho do seu Filho, é minha testemunha de como sempre vos menciono*. No texto grego, a palavra para "servir" é *latreuo*, novamente a palavra usada para adoração. Paulo adorava a Deus em espírito.

Davi também adorou a Deus em espírito. Em Salmos 45:1, vemos a expressão do coração de Davi adorando: *Meu coração transborda de boas palavras*. Em Salmos 103:1, lemos: *Ó minha alma, bendize o Senhor, e todo meu ser bendiga seu santo nome*. Isso se refere à adoração que tem sua origem dentro, no espírito. E no salmo 51 Davi busca a Deus em arrependimento, clamando nos versículos 15-17:

> Senhor, abre meus lábios, e minha boca proclamará o teu louvor.
> Pois não tens prazer em sacrifícios e não te agradas de holocaustos,
> do contrário, eu os ofereceria a ti. Sacrifício aceitável para Deus é
> o espírito quebrantado; ó Deus, tu não desprezarás o coração quebrantado e arrependido.

Davi sabia que o principal interesse de Deus não eram as aparências e, em sua oração de arrependimento, ele apelou a Deus nesse sentido. A prova da realidade do seu arrependimento estava em seu coração quebrantado e contrito, não nos holocaustos oferecidos. E assim é com toda adoração. Sua autenticidade se evidencia no coração, de onde provém a verdadeira adoração. As palavras de Davi descrevem um homem cujo coração está tão cheio de contrição, gratidão e louvor que basta ele abrir a boca para que tudo venha à tona.

Uma importante obra teológica que causou profundo e duradouro impacto em meu ministério foi *The Existence and Attributes of God* [A existência e os atributos de Deus], de Stephen Charnock. Escrito por um autor puritano, em prosa compacta e estilo meticuloso que caracteriza a melhor literatura puritana, essa grande obra em dois volumes me impulsionou a um novo nível de pensamento sobre Deus quando a li pela primeira vez. O texto abriu meus olhos para a patética superficialidade de meus

ADORAÇÃO EM ESPÍRITO E EM VERDADE

pensamentos a respeito de Deus, e estimulou meu apetite por um estudo mais sério das profundezas do Senhor. Mas, apesar da extensão da obra de Charnock, o autor nunca perdeu de vista o princípio simples que tem sido o nosso tema desde o início deste livro: A adoração autêntica é uma função do coração. Não se trata de rituais, costumes, atmosfera, locais especiais ou coisas exteriores. Charnock escreveu:

> Sem o coração, não é adoração; é uma peça de teatro; é a representação de uma peça sem ser aquela pessoa realmente que está agindo por nós: um hipócrita, na acepção da palavra, é um ator [...]. Podemos dizer que adoramos verdadeiramente a Deus mesmo que nos falte perfeição; mas não podemos dizer que o adoramos se nos faltar sinceridade.[1]

Exatamente. O louvor não é louvor *verdadeiro*, a menos que venha das profundezas do nosso coração. Pelo fato de sermos criaturas caídas, vivendo num mundo sob maldição, nossa adoração *sempre* será imperfeita – até sermos aperfeiçoados pela glorificação. Mas nossa adoração *nunca* deve ser insincera. De modo algum será adoração, mas um insulto a Deus, se o que fizermos for meramente uma rotina ditada pelo costume.

COMO TER UM ESPÍRITO DE ADORAÇÃO

No vigésimo sexto dia do Senhor do ano de 1881,[2] Andrew Bonar escreveu em seu diário: "Durante todo o dia e em cada culto, eu me senti fortalecido e sustentado pela presença do Senhor em Espírito, mais que o habitual. Houve momentos de grande proximidade".

Essa é uma descrição de adoração em espírito, na qual existe um impressionante senso de proximidade de Deus. Tiago 4:8 exorta: *Achegai-vos a Deus e ele se achegará a vós.* Estou certo de que muitos cristãos raramente tiveram essa experiência.

---

[1] CHARNOCK, Stephen. *Discourses Upon the Existence and Attributes of God*, p. 225-26.
[2] [NT] Corresponde exatamente a 26 de junho de 1881.

Podemos ter um coração transbordante que adora em espírito. Antes de mais nada, *devemos ser submissos ao Espírito Santo*. Antes de podermos adorar Deus em nosso espírito, o Espírito Santo precisa estar lá para produzir a verdadeira adoração. Em 1Coríntios 2:11, lemos: *Ninguém conhece as coisas de Deus, a não ser o Espírito de Deus*. Se o Espírito de Deus não está estimulando, motivando, purificando e instruindo o seu coração, você não pode adorar a Deus, porque você não pode nem mesmo conhecê-lo.

Ninguém pode dizer: Jesus é Senhor! a não ser pelo Espírito Santo (1Coríntios 12:3). Em outras palavras, sem o Espírito Santo, uma pessoa não pode verdadeiramente afirmar o senhorio de Cristo. Adorar a Cristo como soberano requer o estímulo por parte do Espírito Santo. E nós somente recebemos o Espírito Santo quando nos rendemos a Jesus Cristo como Salvador e Senhor.

Isso confirma mais uma vez que o fundamento da verdadeira adoração é a salvação. Quem não é salvo não pode adorar verdadeiramente. E quem é verdadeiramente salvo será motivado a adorar pelo Espírito Santo que nele habita. É justo, portanto, nos examinarmos com base em nossa adoração. Se você tem dificuldade em adorar, talvez não seja salvo. Se você fica entediado na igreja, ou não se importa em deixar de ir à igreja, talvez o Espírito Santo não esteja estimulando o seu coração. Se ele está lá, devemos submeter nossa vontade ao seu poder.

Em segundo lugar, se devemos adorar em espírito, *nossos pensamentos devem estar centrados em Deus*. A adoração é o transbordamento de uma mente renovada pela verdade de Deus. Chamamos o processo de meditação. Parece haver muita confusão sobre o que é meditação. Meditação é exatamente focar a mente inteira num assunto, concentrando o raciocínio, a imaginação e a emoção numa realidade.

Se você acha isso difícil, você é bastante normal. Por causa da nossa exposição à televisão, ao rádio e à *internet* e a outros meios de comunicação de massa, temos mais sobre o que pensar que qualquer civilização anterior. Consequentemente, nosso momento de atenção sobre um tema pode ser muito limitado, e encontramos dificuldade em nos concentrar durante muito tempo sobre um único assunto. Meditação é uma disciplina para a qual temos de nos capacitar.

O centro da meditação é a descoberta da verdade de Deus. E a descoberta resulta do tempo empregado com Deus em oração e sua Palavra. O Espírito nos ensina a verdade da Palavra à medida que a estudamos e nela meditamos em atitude de oração.

O centro da meditação é a descoberta da verdade de Deus.

Charles Haddon Spurgeon indagou:

> Por que algumas pessoas estão sempre num local de adoração, mas não são santas, embora obtenham alguns pequenos progressos na vida religiosa? É porque elas negligenciam sua vida privada. Elas gostam de trigo, mas não o trituram; gostam de ter milho, mas não vão aos campos para colhê-lo; o fruto pende na árvore, mas não o colhem; a água flui a seus pés, entretanto, não se inclinam para bebê-la.[3]

Para adorar em espírito, portanto, *devemos ter um coração íntegro*. Sem um coração indivisível, a adoração é impossível. A pessoa de coração dividido pode ter boas intenções, mas descobre que, ao sentar-se para orar e passar tempo com o Senhor, milhões de outras coisas inundam sua mente. A maioria de nós conhece essa experiência.

Davi foi um rei. Ele tinha inúmeras coisas com que se preocupar. Todavia, procurava adorar a Deus com coração íntegro. Em Salmos 86:11, Davi orou: *Prepara meu coração para temer o teu nome*. A expressão *temer o teu nome* equivale à palavra *adorar*.

Em Salmos 57:7, Davi escreveu: *Meu coração está firme, ó Deus, firme está meu coração. Cantarei louvores, sim, eu cantarei*. Em Salmos 108:1, encontramos o mesmo pensamento: *Firme está o meu coração, ó Deus; cantarei e louvarei com toda minha alma*. A adoração vem de um coração inabalável, de um coração resoluto, determinado, focado somente em Deus.

---

[3] SPURGEON, Charles Haddon. "Quiet Musing!" (Sermão 576). *The Metropolitan Tabernacle Pulpit*, vol. 10. London: Passmore & Alabaster, 1864, p. 354-355.

Finalmente, *precisamos estar arrependidos*. Nosso pecado precisa ser tratado. Quando falamos a respeito de adoração, devemos pensar em purificação, depuração, confissão, arrependimento – porque ninguém pode entrar em comunhão com um Deus completamente santo se o pecado dessa pessoa não for tratado. *Quem subirá ao monte do Senhor, ou quem poderá permanecer no seu santo lugar? Aquele que é limpo de mãos e puro de coração* (Salmos 24:3,4). Não podemos nos apressar a entrar na presença de Deus em nossa impureza, pensando que está tudo bem. Como Isaías, precisamos confessar nosso pecado perante Deus e permitir que ele toque aquela brasa viva em nossos lábios para nos purificar.

É frequente termos consciência de pecados em nossa vida que precisam ser confessados. Outras vezes podemos pensar que estamos bem à vista de Deus, mas não estamos. Em Salmos 139:23,24, Davi escreveu: *Sonda-me, ó Deus, e conhece o meu coração; prova-me e conhece os meus pensamentos; vê se há em mim algum caminho mau e guia-me pelo caminho eterno.* Essa é uma confissão de Davi, mostrando que ele não conseguia compreender plenamente o próprio coração.

Talvez a razão pela qual tenhamos dificuldade de realmente nos entregar em adoração a Deus, o motivo de não experimentarmos a proximidade de Deus, é termos áreas em nossa vida que não estão puras à vista de Deus. Todos nós temos pontos cegos e deficiências que somente Deus conhece. Precisamos ser sinceros e estar dispostos a pedir que Deus acenda o holofote e exponha o que quer que esteja nas sombras. Devemos submeter nosso espírito ao Espírito Santo, que nos enche com sua presença e poder. Peçamos para que ele purifique cada recôndito de nossa vida – e então o fluxo de adoração poderá ocorrer.

O PRINCIPAL OBSTÁCULO

No final das contas, existe apenas um grande obstáculo para adorar em espírito: o ego. Ele pode se apresentar em todos os tipos de embalagens, mas o resultado é sempre o mesmo: quando nos limitamos diante de Deus, não podemos adorá-lo adequadamente. Podemos culpar a falta de tempo ou as muitas distrações, mas sempre encontramos tempo para realizar os projetos e as atividades que verdadeiramente nos interessam. O problema real com essas desculpas é o excesso de egoísmo – preguiça e autoindulgência demais – para organizar suas prioridades de forma adequada.

Stephen Charnock escreveu:

> Simular uma homenagem a Deus, pretendendo apenas o benefício do ego, é zombar dele em vez de adorá-lo. Quando cremos que precisamos ser satisfeitos, em vez de glorificar a Deus, o colocamos abaixo de nós mesmos, imaginando que ele deveria submeter sua honra ao nosso benefício; fazemo-nos mais gloriosos que Deus.[4]

Esse é o principal obstáculo à adoração em espírito – alguém colocar suas necessidades, seus benefícios e suas bênçãos acima de Deus.

Ninguém pode adorar em espírito até ter morrido para a carne. Jesus descreveu isso como negar a si mesmo. *Se alguém quiser vir após mim, negue-se a si mesmo, tome a sua cruz e siga-me* (Mateus 16:24). Precisamos desprezar o ego – no sentido espiritual, devemos *morrer* para o ego – e nos perder na adoração a Deus. Então saberemos o que é adorar em espírito.

ADORAR EM VERDADE

Jesus disse que devemos adorar em verdade também, e, dessa forma, ele ligou inseparavelmente a adoração à verdade. A adoração não é simplesmente um exercício emocional com palavras piedosas ou sons musicais que provocam certos sentimentos. A adoração certamente não é uma catarse mística da paixão humana separada de qualquer pensamento racional ou preceito bíblico. A verdadeira adoração é uma resposta de culto e louvor induzida pela verdade revelada por Deus. O texto de Salmos 145:18 anuncia: *O Senhor está perto de todos os que o invocam, de todos os que o invocam* em verdade (ênfase acrescentada). Claramente, a verdade é pré-requisito para a adoração aceitável.

[4] Ibid., p. 241.

Em Salmos 86:11, quando Davi orou por um coração preparado, ele pediu também mais compreensão da verdade: *Senhor, ensina-me teu caminho, e andarei na tua verdade; prepara meu coração para temer o teu nome.*

Pilatos fez a pergunta muito importante: *Que é a verdade?* (João 18:38). Embora Jesus tenha permanecido em silêncio diante de Pilatos (Lucas 23:9), sua clara resposta a essa pergunta encontra-se em sua oração sacerdotal ao Pai: *A tua palavra é a verdade* (João 17:17).

Se queremos adorar em verdade e a Palavra de Deus é a verdade, devemos adorar com a compreensão da Palavra de Deus.

PREGAR A PALAVRA

É por isso que a pregação expositiva e o ensino sistemático da Palavra de Deus são tão importantes. Alguns pregadores parecem se especializar em sermões que são secundariamente bíblicos, mas comovem a congregação e fazem rir e chorar com histórias e anedotas engenhosas. Os sermões podem ser interessantes, engraçados, divertidos, emocionantes e impressionantes. Podem provocar todo tipo de emoção e entusiasmo. Mas essa pregação não ajuda as pessoas a adorarem verdadeiramente a Deus.

O propósito da pregação não é simplesmente criar experiência emocional. A principal responsabilidade do pregador não é despertar as emoções de sua audiência, mas pregar *a palavra [...] a tempo e fora de tempo [...] com toda paciência e ensino* (2Timóteo 4:2). O chamado de todo pregador é para ensinar acerca de Deus, e desse conhecimento vem a adoração.

Qualquer jovem que entre no ministério e não esteja comprometido com a pregação expositiva está fraudando o seu ministério, porque as pessoas devem responder à verdade da Palavra de Deus em todas as dimensões da vida. O único ministério efetivo é aquele que expõe a Palavra de Deus.

Infelizmente, muitas igrejas – muitas igrejas evangélicas – gastam tempo demais com tantas promoções e preâmbulos que ninguém consegue encontrar Deus no meio do programa. Nossa adoração deve ser substantiva – baseada na Palavra de Deus. Isso eleva a pregação da Palavra à máxima importância na adoração.

Alguns podem querer saber por que há tanta ênfase na pregação num culto *de adoração*. Por que não uma breve mensagem, ou até mesmo nenhuma mensagem, e apenas cânticos, oração, louvor e testemunhos? Fazer a pergunta é mostrar ignorância sobre a razão e a natureza da tarefa do ensino pastoral.

O desafio do púlpito é levar as pessoas ao lugar de adoração como um estilo de vida. Em *Between Two Worlds* [Entre dois mundos], John Stott explica isso com propriedade:

> A Palavra e a adoração estão indissoluvelmente ligadas. Toda adoração é uma resposta inteligente e amorosa à revelação de Deus, porque é a adoração do seu Nome. Consequentemente, a adoração aceitável é impossível sem a pregação. Porque pregar é tornar conhecido o Nome do Senhor, e adorar é louvar o Nome do Senhor tornado conhecido. Longe de ser uma intromissão na adoração, a leitura e a pregação da Palavra são realmente indispensáveis. As duas não podem ser separadas. De fato, é em sua anormal separação que está o baixo nível de tanta adoração contemporânea. Nossa adoração é pobre porque nosso conhecimento de Deus é pobre. Mas, quando a Palavra de Deus é exposta em sua plenitude, e a congregação começa a ter um vislumbre da glória do Deus vivo, se inclina em solene reverência e feliz assombro perante o trono dele. É a pregação que realiza isso, a proclamação da Palavra de Deus no poder do Espírito de Deus. É por isso que a pregação é inigualável e insubstituível.[5]

A exposição eficiente da Palavra é, então, essencial para a adoração significativa na assembleia dos santos. E a percepção obtida da Palavra de Deus no culto de adoração tanto aprofundará a qualidade da adoração individual durante a semana como estimulará o desejo dos santos de estudarem as Escrituras diariamente.

Quando a igreja primitiva se reunia, ela o fazia para ser ensinada na doutrina dos apóstolos – a revelação de Deus a respeito de si mesmo, manifestada pelos escritos e ensinos dos apóstolos. Por isso Paulo escreveu a Timóteo:

---

[5] STOTT, John R. W. *Between Two Worlds*, p. 82-83.

Ensinando essas coisas aos irmãos, serás bom ministro de Cristo Jesus, nutrido pelas palavras da fé e da boa doutrina que tens seguido. Mas rejeita as fábulas profanas e insensatas. Exercita-te na piedade. [...] Enquanto aguardas a minha chegada, aplica-te à leitura, à exortação e ao ensino. (1Timóteo 4:6,7,13)

A igreja de Corinto havia chegado ao extremo da atividade entusiástica e sem sentido. Seus membros gostavam de falar em línguas arrebatadoras e de fazer demonstrações espalhafatosas, remanescentes de sua origem pagã. Estavam colocando de lado a alegria e a verdade por causa de experiências externas, incompreensíveis e emocionais. Paulo os censura em 1Coríntios 14:

Porque se eu orar em uma língua, o meu espírito ora, mas a minha mente fica infrutífera. Que fazer, então? Orarei com o espírito, mas também com a mente; cantarei com o espírito, mas também com a mente. De outra maneira, se louvares com o espírito, como dirá amém diante de tua ação de graças quem não é instruído, visto que não sabe o que dizes? (v. 14-16)

Se, pois, toda a igreja se reunir num lugar e todos falarem em línguas, e entrarem pessoas não instruídas ou incrédulas, por acaso não dirão que estais loucos? Mas, se todos profetizarem, e alguma pessoa incrédula ou não instruída entrar, será por todos convencida de seu pecado e julgada. Os segredos do seu coração se tornarão manifestos. E assim, prostrando-se, com o rosto em terra, adorará a Deus, afirmando que, de fato, Deus está entre vós. (v. 23-25)

Veja, o efeito desejado da atividade puramente emocional é que as pessoas tenham uma boa sensação. O efeito da verdade é que elas adorem a Deus. A verdade está *sempre* no centro da adoração autêntica. Todo tipo de entusiasmo ou emoção que não esteja inseparavelmente ligado à verdade é, em última análise, sem sentido.

ADORAÇÃO EM ESPÍRITO E EM VERDADE

O livro de Neemias mostra o poder da Palavra de Deus para motivar a verdadeira adoração naqueles que têm coração sincero. Depois que Neemias e o povo completaram a edificação do muro de Jerusalém, eles pediram a Esdras que lesse o rolo contendo a Palavra de Deus. Esdras abriu o rolo à vista do povo, e imediatamente todos se levantaram diante da apresentação da Palavra de Deus. *Então Esdras bendisse o SENHOR, o grande Deus; e todo o povo levantou as mãos e respondeu: Amém! Amém! E eles se inclinaram e adoraram o SENHOR, com o rosto em terra* (Neemias 8:6). A verdade das Escrituras fez que eles se prostrassem em um ato de adoração.

ONDE O ESPÍRITO E A VERDADE SE ENCONTRAM

Toda adoração autêntica é exatamente esse tipo de resposta sincera à verdade de Deus e sua Palavra. A verdade é o fator objetivo na adoração, e o espírito é o subjetivo. Ambos devem caminhar juntos.

Quando a Palavra de Deus domina a vida de alguém, seu louvor é regulamentado e sua adoração está em conformidade com o padrão divino. Foi por isso que Paulo advertiu os colossenses: *A palavra de Cristo habite ricamente em vós, em toda a sabedoria; ensinai e aconselhai uns aos outros com salmos, hinos e cânticos espirituais, louvando a Deus com gratidão no coração* (Colossenses 3:16). Esta é a mistura perfeita: emoção regulada pelo entendimento e entusiasmo dirigido pela Palavra de Deus.

Encontramos em Salmos 47:7: *Cantai louvores com conhecimento*. A adoração não é simplesmente uma experiência arrebatadora, sem significado ou conteúdo. Não é uma sensação boa, independente de qualquer compreensão da verdade. A adoração é uma expressão de louvor do coração, dirigida a Deus na forma como ele é verdadeiramente revelado.

A natureza da adoração, então, é oferecer a Deus, das profundezas do nosso ser interior, louvor, oração, cântico, doação e vida, sempre baseados em sua verdade revelada. Quem quiser adorar a Deus deve, consequentemente, ter um compromisso fiel com sua Palavra. A adoração não acontece por uma ação do céu que nos faz cair. É o transbordamento de nossa compreensão sobre como Deus se revelou nas Escrituras. Isso é adorar em espírito e em verdade.

CAPÍTULO TREZE

GLÓRIA A DEUS NAS ALTURAS

Nós iniciamos o Capítulo 3 deste livro com a definição: adoração é honra e culto dirigidos a Deus. Ao longo deste estudo, o conceito se expandiu, por isso talvez uma definição mais completa seja agora apropriada: adoração é o nosso mais íntimo ser respondendo com louvor por tudo o que Deus é, mediante nossas atitudes, ações, pensamentos e obras, com base na verdade de Deus, tal como ele a nós se revelou.

Outra forma de dizer é que adorar é glorificar a Deus. Ser obcecado pela glória de Deus é a paixão consumidora do verdadeiro adorador, que vive para exaltar a Deus. Este capítulo e o seguinte são dedicados a explorar essa verdade.

A primeira pergunta e a primeira resposta no *Breve catecismo de Westminster* são: "Qual é o fim principal do homem? O fim principal do homem é glorificar a Deus e deleitar-se nele para sempre". De acordo com o catecismo, então, o pináculo do ser humano e o propósito para o qual fomos criados é, em primeiro lugar, dar glória a Deus e deleitar-se nele eternamente. A suprema realização do plano de Deus para nós, então, é estarmos totalmente absorvidos no louvor de sua glória, para encontrar nosso supremo prazer nele, e vermos toda a vida por olhos cheios de admiração e adoração por aquele que criou tudo e *concede amplamente todas as coisas para delas desfrutarmos* (1Timóteo 6:17). Essa é a cosmovisão do verdadeiro adorador.

O QUE É GLÓRIA DE DEUS?

A palavra *glória* significa "algo que é digno de louvor ou exaltação; esplendor; beleza; fama". Tem sido empregada para descrever tudo, desde times de futebol com histórias de conquistas até exibições do pôr de sol. Não é, entretanto, um conceito banal.

A glória de Deus tem dois aspectos. O primeiro é sua glória inerente, ou *intrínseca*. Deus é o único ser de toda a existência do qual se pode dizer que tem glória inerente. Nós não a damos a ele; a glória é dele em virtude do que ele é. Se ninguém jamais prestasse a Deus algum louvor, ele ainda seria o Deus glorioso que é, porque já era glorioso antes que qualquer ser criado o adorasse.

Os seres humanos não têm glória intrínseca. A glória humana é concedida. Se o manto e a coroa forem tirados de um rei e ele for colocado junto a um mendigo que acabou de tomar um banho, jamais se saberá quem é quem. A glória do rei é externa, é uma glória adquirida.

A glória de Deus é essencial à sua natureza; não pode ser tirada, não pode ser acrescentada. É glória total que não pode ser diminuída. Sua glória é seu ser – simplesmente a essência do que ele é, independentemente do que fazemos ou deixamos de fazer para reconhecê-la.

Em Êxodo 33, Moisés, que se consumia com a vontade de conhecer Deus, disse a ele: *Rogo-te que me mostres tua glória* (v. 18). Deus respondeu: *Farei passar toda a minha bondade diante de ti e te proclamarei o meu nome, o* SENHOR (v. 19). *O nome do* SENHOR é uma expressão bíblica frequente que significa tudo o que ele é – a essência de seus atributos. E isso é sinônimo da glória de Deus. Quando Deus declara o seu nome, declara sua glória, porque sua glória é a combinação de seus atributos.

Em Atos 7:2, Deus é chamado de *o Deus da glória*. A glória é tão essencial para Deus como a luz é para o Sol, como o azul é para o céu, como ser molhada é característica da água. Ninguém torna a água molhada; ela é molhada. Ninguém torna o céu azul ou cria a luz do Sol; eles são essas coisas. Não se pode tirar essas coisas deles, nem se pode acrescentá-las.

Deus não dá nem compartilha sua glória, de forma alguma. Em Isaías 48:11, Deus diz: *Não darei a minha glória a nenhum outro*. Ele nos dará bênçãos como sabedoria, riquezas e honra, mas nunca sua glória. Deus não pode se desfazer do que ele é. Ele evidencia sua glória nos crentes, mas nunca faz isso separadamente de si mesmo. A glória não se torna nossa – ainda é a glória dele que se irradia por nosso intermédio – porque o próprio Deus habita nos crentes na pessoa do Espírito Santo.

Um segundo aspecto da glória de Deus é a *glória atribuída*. É a isso que a Bíblia se refere quando fala sobre dar glória a Deus. Lemos em Salmos 29:1,2: *Tributai ao Senhor, seres angelicais, tributai glória e força ao Senhor. Tributai ao Senhor a glória devida ao seu nome; adorai o Senhor na beleza da santidade.*

Obviamente, não podemos dar glória a Deus no sentido de acrescentar à sua glória, tampouco dar-lhe força. Mas o primeiro versículo do salmo 29 diz: *Tributai glória e força ao Senhor.* O salmista insiste em que *reconheçamos* e confessemos a glória de Deus.

Embora não possamos nada acrescentar à glória de Deus, podemos confirmá-la e louvá-lo por isso, e ainda podemos acrescentar ao mundo a percepção dessa glória. A passagem de Tito 2:9,10 diz:

> Exorta os servos para que sejam submissos a seus senhores em tudo, agradando-os sem reclamar, e que não furtem; em vez disso, devem demonstrar perfeita lealdade, para que em tudo MOSTREM A BELEZA DA DOUTRINA DE DEUS, NOSSO SALVADOR. (ênfase acrescentada)

Claro, isso não significa que podemos embelezar Deus. Mas podemos embelezar a verdade de Deus aplicando e promovendo as doutrinas das Escrituras por meio do comportamento piedoso. A pessoa pode viver da forma que quiser, e isso não afetará a natureza de Deus nem alterará sua glória intrínseca. O que a *afetará* é o testemunho a respeito de Deus no mundo.

Atribuir glória a Deus significa, portanto, reconhecer e enaltecer sua glória. Por exemplo, em Filipenses 1:20, Paulo escreveu que seu desejo era que *tanto agora como sempre, Cristo será engrandecido no meu corpo.* Ele não quis dizer que Cristo precisava ser melhorado, mas que a visão de outras pessoas sobre Cristo podia ser aprimorada pelo seu testemunho.

A própria criação engrandece Deus. Encontramos em Salmos 19:1: *Os céus proclamam a glória de Deus, e o firmamento anuncia as obras das suas mãos.* Em outras palavras, a glória de Deus é visível pelo menos em parte através da criação. Romanos 1:20 diz: *Pois os seus atributos invisíveis, seu eterno poder* e *divindade, são vistos claramente desde a criação do mundo e percebidos median-te as coisas criadas.* É exatamente o que devemos fazer ao atribuir glória a Deus – tornar seus atributos claramente vistos pelos homens.

O primeiro livro de Crônicas 16 registra uma passagem maravilhosa sobre a glória de Deus:

> Cantai ao SENHOR em toda a terra; proclamai dia após dia a sua sal-vação. Anunciai entre as nações a sua glória, entre todos os povos as suas maravilhas. Porque grande é o SENHOR, e digno de ser louvado; ele é mais temível do que todos os deuses. Porque todos os deuses dos povos são apenas ídolos, mas o SENHOR fez os céus. Glória e ma-jestade estão diante dele; força e alegria na sua habitação. Tributai ao SENHOR, ó famílias dos povos; tributai ao SENHOR glória e força. Tributai ao SENHOR a glória devida ao seu nome. (v. 23-29)

Esse testemunho visível, audível, público é o que significa dar glória a Deus. É exaltá-lo, afirmando seus atributos, refletindo seu caráter, lou-vando-o pelo que ele é, e tornando-o conhecido em sua plenitude.

POR QUE DEVEMOS DAR GLÓRIA A DEUS?

Por que devemos glorificar a Deus? Primeiro, *porque ele nos criou.* O salmo 100 diz: *Foi ele quem nos fez.* A tendência é nos esquecermos disso, agindo como se nossas realizações *nos* tornassem merecedores de louvor. Mas Romanos 11:36 declara: *Porque todas as coisas são dele, por ele e para ele. A ele seja a glória eternamente! Amém.* Como Criador, somente ele é digno de ser glorificado.

O apóstolo João descreve um incidente no céu quando os 24 anciãos lançaram suas coroas perante o trono de Deus e disseram: *Nosso Senhor e nosso Deus, tu és digno de receber a glória, a honra e o poder, porque tu criaste to-das as coisas e, por tua vontade, elas existiram e foram criadas* (Apocalipse 4:11). Deus nos deu nosso ser, nossa vida e todas as coisas que existem. Como poderíamos dar glória a qualquer outro, ou tomá-la para nós mesmos? Somos o que somos porque Deus nos criou.

Em segundo lugar, devemos glorificar a Deus *porque ele criou todas as coisas para a glória dele*. O propósito todo da criação é glorificar a Deus. Provérbios 16:4 diz: *O Senhor fez tudo com um propósito*. Tudo na criação é destinado a irradiar os atributos de Deus – seu poder, seu amor, sua misericórdia, sua sabedoria, sua graça. Isso não é egoísmo da parte de Deus. Ele é digno do nosso louvor. Como Deus, ele tem todo direito de exigir adoração e louvor de suas criaturas.

Inevitavelmente, Deus será glorificado por todos. No final das contas, cada indivíduo dará glória a Deus, voluntariamente ou não, na vida ou na morte. A glória que Deus recebe dos justos é o que lhe agrada especialmente. Eles lhe dão glória voluntariamente. De fato, dar glória a Deus é o chamado especial do povo de Deus. Em Isaías 43:21, o Senhor declarou: *Povo que formei para mim, para que proclamasse o meu louvor*. A primeira carta de Pedro 2:9 diz a respeito da igreja: *Vós sois geração eleita, sacerdócio real, nação santa, povo de propriedade exclusiva de Deus, para que anuncieis as grandezas daquele que vos chamou das trevas para sua maravilhosa luz*.

Os incrédulos podem não querer dar glória a Deus, mas acabarão por fazê-lo. O faraó estava determinado a não glorificar a Deus, mas, conforme Êxodo 14:17, Deus disse: *Serei glorificado por meio do faraó e de todo o seu exército, com seus carros e cavaleiros*. E assim aconteceu. A mensagem de Deus ao faraó foi: *Mas, na verdade, para isto te mantive com vida: para te mostrar o meu poder, e para que o meu nome seja anunciado em toda a terra* (Êxodo 9:16). Foi exatamente o que aconteceu. Embora o faraó não tivesse glorificado Deus com sua vida, Deus foi glorificado em sua destruição.

Esse é em si outro incentivo para dar glória a Deus. Devemos querer dar-lhe glória *porque ele julga os que não o fazem*. De acordo com Romanos 1, os pecadores perdidos são condenados por recusarem e corromperem a glória de Deus: *Porque, mesmo tendo conhecido a Deus, não o glorificaram como Deus, nem lhe deram graças [...] e substituíram a glória do Deus incorruptível por imagens semelhantes ao homem corruptível* (v. 21,23). O tema do primeiro capítulo de Romanos com relação ao tratamento de Deus aos que se recusam dar-lhe glória encontra-se nas palavras *Deus os entregou* (v. 24,26) e *foram entregues pelo próprio Deus* (v. 28). Deus simplesmente os abandonou à própria depravação. Ele é glorificado e revelado como um Deus santo e justo ao julgá-los.

Jeremias 13:15,16 registra uma mensagem que o profeta entregou a Israel. Seu ministério foi frustrante; as pessoas não ouviram nada do que ele dizia até estarem prestes a ser levadas para o cativeiro. Seu coração se entristeceu, e ele clamou:

> Escutai e prestai atenção; não sejais arrogantes, porque o SENHOR falou. Dai glória ao SENHOR, vosso Deus, antes que venha a escuridão e antes que vossos pés tropecem nos montes escuros, e antes que, esperando vós luz, ele a transforme em densas trevas e a reduza à profunda escuridão.

Em outras palavras, devemos dar glória a Deus porque, se isso não for feito, o julgamento virá.

Vimos, no Capítulo 4 deste livro, o relato do anjo descrito em Apocalipse 14:6,7, citado como possuidor do evangelho eterno. Lembre-se de que sua mensagem foi: *Temei a Deus e dai-lhe glória;* PORQUE A HORA DO SEU JUÍZO CHEGOU (ênfase acrescentada). O glorioso julgamento é certo para os que se recusam a adorá-lo e dar-lhe glória.

A ADORAÇÃO E A GLÓRIA DE DEUS

Aqueles que dão glória a Deus voluntariamente são os verdadeiros adoradores, e a adoração não é nada mais, nada menos, que glorificar a Deus com coração voluntário e alegre. Em outras palavras, o que quer que se diga honestamente sobre como glorificar a Deus é apenas uma percepção mais detalhada do tema da adoração sincera.

Glorificar a Deus começa, como vimos claramente, com a salvação, quando nos submetemos a Jesus Cristo como Senhor, tornando-nos, com isso, verdadeiros adoradores. Filipenses 2:9-11 diz a respeito do Senhor Jesus:

> Deus também o exaltou com soberania e lhe deu o nome que está acima de qualquer outro nome; para que ao nome de Jesus se dobre

todo joelho dos que estão nos céus, na terra e debaixo da terra, e TODA LÍNGUA CONFESSE QUE JESUS CRISTO É O SENHOR, PARA GLÓRIA DE DEUS PAI. (ênfase acrescentada)

Da mesma forma que adorar é um estilo de vida, glorificar a Deus deve ser um objetivo consciente, contínuo, intencional e perpétuo do adorador. Primeira aos Coríntios 10:31 é uma passagem bastante conhecida, mas pouco praticada. Ela apresenta a estratégia de vida do verdadeiro adorador: *Portanto, seja comendo, seja bebendo, seja fazendo qualquer outra coisa, fazei tudo para a glória de Deus*. Não importa o que façamos, a começar por atividades tão mundanas quanto comer e beber, tudo deve ser feito para a glória de Deus.

Jesus falou sobre a maldade dos dias de Noé: *Porque nos dias anteriores ao dilúvio, todos comiam, bebiam, casavam e davam-se em casamento, até o dia em que Noé entrou na arca; e não se deram conta até que veio o dilúvio e levou a todos* (Mateus 24:38,39). Note bem: Jesus não estava condenando aquelas pessoas pelo fato de elas comerem e beberem. Não existe nada inerentemente mal nessas atividades – são funções da vida, normais e necessárias. O erro estava em fazer aquelas coisas sem pensar em glorificar a Deus. Aquelas pessoas não compreenderam, até o momento em que estavam sendo levadas pela inundação, que estamos na terra somente para a glória de Deus, e que toda atividade da nossa vida deve ser direcionada para esse propósito.

Foi assim que Jesus viveu. Ele disse: *Eu não busco a glória para mim mesmo* (João 8:50). *O que busca a glória daquele que o enviou, esse é verdadeiro, e nele não há injustiça* (João 7:18). Todo o propósito da vida de Jesus foi tributar glória a Deus, irradiar seus atributos, adornar sua doutrina – mesmo que isso significasse obediência até a morte. E, ao viver esse tipo de vida, ele estabeleceu o padrão para cada verdadeiro adorador (v. 1Pedro 2:21).

Viver a glória de Deus elimina toda possibilidade de hipocrisia. Hipócrita é aquele que deliberadamente tenta roubar a glória de Deus. Ele quer um pouco dessa glória para si mesmo. Jesus acusa os hipócritas em Mateus 6:1,2:

Cuidado para não praticardes boas obras diante dos homens a fim de serdes vistos por eles; do contrário, não tereis recompensa de vosso Pai, que está no céu. Assim, quando deres esmola, não faças tocar trombeta diante de ti, a exemplo dos hipócritas nas sinagogas e nas ruas, para serem glorificados pelos homens.

Certa vez um estudante pensou que podia impressionar D. L. Moody. O jovem havia passado a noite toda numa reunião de oração e estava se sentindo especialmente espiritual. Ele foi até o senhor Moody e disse:

– O senhor sabe onde estivemos? Estivemos a noite toda numa reunião de oração. O senhor vê como o nosso rosto brilha?

O senhor Moody, sem se impressionar, citou Êxodo 34:29: *Moisés não sabia que a pele do seu rosto resplandecia.*

Dedicar nossa vida à glória de Deus significa sacrificar-se. Significa que preferimos Deus acima de tudo. O verdadeiro adorador não pensa quanto isso irá ajudá-lo, quanto dinheiro ganhará, quanto sucesso obterá, quanta fama alcançará, quantos amigos conseguirá, quão espiritual ele parecerá aos outros, e assim por diante. A busca da glória de Deus é uma busca puramente desprendida, uma busca solitária. A verdadeira adoração não está preocupada com a popularidade dela decorrente nem com o tipo de resposta obtida.

PAGANDO O PREÇO

Procurar glorificar a Deus acima de tudo pode ser custoso. Êxodo 32 traz um relato sobre algumas pessoas que pagaram um preço muito alto por causa da glória de Deus. Quando Moisés desceu da montanha após receber a lei de Deus, ele encontrou o povo de Israel adorando um bezerro de ouro. Eles estavam roubando a glória de Deus bem ao pé do monte Sinai. Estavam fazendo uma orgia, e Arão os liderava.

Moisés ficou furioso. Ele se colocou à entrada do acampamento e disse: *Quem está do lado do Senhor venha até mim* (Êxodo 32:26). Todos os filhos de Levi – os sacerdotes – vieram. O versículo 27 diz: *Então lhes disse: Assim diz o Senhor, o Deus de Israel: Deixe cada um a sua espada preparada. Passai por todo o acampamento de porta em porta, e mate cada um seu irmão, seu amigo e seu vizinho.*

A glória de Deus estava em jogo, e os que quiseram defendê-la foram chamados para realizar uma difícil tarefa. Eles tiveram de matar pessoas a quem amavam por causa da glória de Deus. Deus quis mostrar ao mundo de todos os tempos que não compartilharia sua glória com ninguém. *Naquele dia, morreram cerca de três mil homens do povo* (v. 28). Foi um alto preço a pagar pela glória de Deus.

Deus não nos chamará para matar nossos entes queridos por sua glória, mas ele pode nos pedir para abandoná-los, e sempre nos chamará para assumirmos posições impopulares em questões importantes. Ele exigirá que paguemos o preço para glorificá-lo. E quem verdadeiramente quiser glorificar a Deus se satisfará em cumprir sua vontade a qualquer custo.

Jesus disse a Pedro:

> Quando eras mais moço, te vestias a ti mesmo e andavas por onde querias. Mas, quando fores velho, estenderás as mãos e outro te vestirá e te levará para onde não queres ir. Com isso ele se referiu ao tipo de morte com que Pedro glorificaria a Deus. (João 21:18,19)

Em outras palavras, Pedro pagou o preço da morte por crucificação para glorificar a Deus.

Pedro escreveu sua primeira epístola para encorajar os crentes sofredores com a verdade de que o sofrimento deles era para a glória de Deus. Ele escreveu: *Se sois insultados por causa do nome de Cristo, sois abençoados, porque sobre vós repousa o Espírito da glória, o Espírito de Deus* (1Pedro 4:14).

Paulo ressaltou isso ao escrever: *Considero que os sofrimentos do presente não se podem comparar com a glória que será revelada em nós* (Romanos 8:18).

Viver para a glória de Deus sempre envolve sofrimento, e há mais do que um tipo de sofrimento. Todos são sensíveis aos próprios sofrimentos e, como crentes, temos grande conforto no fato de que Jesus sofre quando nós sofremos. Mas o cristão maduro, o adorador comprometido, tem uma perspectiva diferente. Ele sofre o máximo quando Deus sofre. Isto é, ele sofre quando o nome de Deus é difamado, ou quando a glória de Deus não é reconhecida. Ao contrário de se regozijar pelo fato de Deus se identificar com seu sofrimento, ele se regozija com o privilégio de compartilhar o sofrimento de Deus.

Em Salmos 69:9 encontramos a enfática declaração: *Pois o zelo pela tua casa me consome, e as afrontas dos que te afrontam caíram sobre mim.* Davi escreveu essas palavras, mas elas tinham um significado messiânico, e Jesus citou esse versículo, aplicando-o a si mesmo, quando purificou o templo. Esse versículo descreve alguém tão envolvido com a glória de Deus que encara cada blasfêmia, cada insulto, a Deus como um golpe pessoal.

Essa é a atitude do verdadeiro adorador, alguém que comprometeu sua vida com a glória de Deus. Ele é consumido pelo zelo – não pela própria reputação ou pela própria imagem, mas pela glória e majestade do Deus Todo-poderoso, a quem ele devotou todo o seu ser para adorar. Esse é o único tipo de vida aceitável a Deus.

CAPÍTULO CATORZE

COMO GLORIFICAR A DEUS

A adoração não é mística; é intensamente prática. A glorificação a Deus não é nada se não for ativa e dinâmica. Uma das grandes tragédias do cristianismo contemporâneo é que deixamos o conceito de adoração degenerar a tal ponto que muitas pessoas pensam piedosamente na adoração como se contemplassem sonhadoramente algo abstrato e etéreo.

Tal abordagem não tem nenhuma relação com a verdadeira adoração. A adoração é deliberada, intencional e ativa. Ela envolve não apenas o pensamento, não simplesmente as emoções, mas todo o ser. A vida do verdadeiro adorador é jubilosa, vibrante – uma vida de busca ativa para glorificar a Deus de forma prática.

As Escrituras são específicas sobre as formas pelas quais podemos glorificar a Deus. Neste capítulo, eu gostaria de examinar várias respostas à glória de Deus que podem ser consideradas atos de adoração pura e aceitável.

FÉ INABALÁVEL EM DEUS

Deus é glorificado, antes de tudo, quando cremos nele sem vacilar. Nossa fé em Deus deveria ser implícita. Isso não significa desligarmos o nosso intelecto ou deixar de pensar nas implicações do que Deus revelou; significa que devemos nos recusar a abrigar a dúvida ou deixar que ela se enraíze em nosso coração. Como Abraão, de quem Romanos 4:20 diz: *diante da promessa de Deus, não vacilou em incredulidade; pelo contrário, foi fortalecido na fé, dando glória a Deus.* A fé é talvez a forma mais básica de adoração.

Todo cristão *afirmará* crer que Deus mantém sua Palavra, mas bem poucos cristãos levam vida de total confiança, de tal forma que o mundo nem sempre tem certeza da confiabilidade do nosso Deus. A menor dúvida sobre Deus, sua bondade ou sua Palavra implica que ele não é tudo o que diz ser. A primeira epístola de João 5:10 diz: *Quem não crê em Deus, torna-o mentiroso.* Em outras palavras, ao duvidar de Deus, você o torna desleal.

A clara promessa de Deus é: *Não veio sobre vós nenhuma tentação que não fosse humana. Mas Deus é fiel e não deixará que sejais tentados além do que podeis resistir. Pelo contrário, juntamente com a tentação providenciará uma saída, para que a possais suportar* (1Coríntios 10:13). Se dizemos que não podemos suportar a tentação ou suportar as provações da vida diária, chamamos Deus de mentiroso.

Por alguma razão, pensamos na dúvida e na aflição como pequenos pecados. Mas, quando o cristão mostra descrença, ansiedade ou incapacidade de enfrentar a vida, ele está dizendo ao mundo: "Não se pode realmente confiar no meu Deus", e esse tipo de desrespeito torna a pessoa culpada de um erro fundamental, o odioso pecado de desonrar Deus. Esse não é um pecado pequeno.

Um bom exemplo de fé inabalável é o relato dos três jovens na fornalha de fogo. O capítulo 3 de Daniel nos conta que, antes de Nabucodonosor lançá-los na fornalha em chamas, deu-lhes a oportunidade de abjurar a fé em Deus e, em vez disso, adorar uma imagem do rei feita de ouro. O versículo 17 é a resposta deles ao rei: *O nosso Deus, a quem cultuamos, pode nos livrar da fornalha de fogo ardente; e ele nos livrará da tua mão, ó rei.* E acrescentaram: MAS SE NÃO, *fica sabendo, ó rei, que não cultuaremos teus deuses nem adoraremos a estátua de ouro que levantaste* (v. 18, ênfase acrescentada).

Eles estavam numa posição extremamente difícil. Não havia registro de algum filho de Deus ter enfrentado a ameaça de uma fornalha de fogo ardente, e não havia referências bíblicas disponíveis que eles pudessem acreditar em uma promessa de que sobreviveriam. Se eles houvessem sucumbido à intimidação do rei e adorado o ídolo, não teriam glorificado a seu Deus. Em vez disso, assumiram uma posição confiante de fé na bondade e na justiça de Deus. Sua fé foi sustentada, e Deus foi glorificado aos olhos de toda a nação.

LOUVOR VERBAL

Glorificamos a Deus, também, louvando-o com nossa boca. Em Salmos 50:23, Deus diz: *Aquele que oferece sacrifício de ação de graças me glorifica*. Louvar é simplesmente exaltar a Deus recitando seus atributos e suas obras e agradecendo-lhe por quem ele é e por aquilo que ele realizou. Muitos salmos são pura expressão desse tipo de louvor, e o salmo 107 usa repetidas vezes o refrão: *Rendei graças ao S*ENHOR*, por seu amor e por suas maravilhas para com os filhos dos homens!* (v. 8,15,21,31).

A melhor forma de aprender a confiar em Deus no presente é estudar suas obras do passado.

A melhor forma de aprender a confiar em Deus no presente é estudar suas obras do passado. Deus já estabeleceu o padrão de sua fidelidade, e suas maravilhosas obras são um lembrete contínuo de que ele nunca foi infiel. Relembrar e recitar isso é glorificar a Deus.

No dia de Pentecoste, quando os crentes pela primeira vez ficaram cheios do Espírito Santo e falaram línguas estranhas, a mensagem singular das palavras que eles pronunciaram, traduzidas por Deus para as línguas de seus ouvintes, era: *grandezas de Deus* (Atos 2:11).

Lucas 17 conta a história de um grupo de leprosos. Em razão do fato de a doença deles ser tão horrível e contagiosa, os leprosos tinham de ser separados da sociedade. Eram párias a serem evitados, e todos permaneciam o mais distante deles quanto possível. Exceto Jesus:

> Aconteceu que, indo ele para Jerusalém, passou pela divisa entre Samaria e a Galileia. Ao entrar em um povoado, dez leprosos saíram-lhe ao encontro, pararam de longe e gritaram: Jesus, Mestre, tem compaixão de nós! Logo que os viu, ele lhes disse: Ide e mostrai-vos aos sacerdotes. E aconteceu que, enquanto iam, ficaram purificados. Um deles, vendo que fora curado, voltou glorificando a Deus em alta voz e prostrou-se com o rosto em terra aos pés de Jesus, dando-lhe graças; e este era samaritano. Então Jesus

perguntou: Não foram dez os purificados? E os outros nove, onde estão? Não houve quem voltasse para dar glória a Deus, senão este estrangeiro? (v. 11-18)

Foi uma situação triste, inacreditável: de dez leprosos salvos de uma enfermidade e vergonha para o resto da vida, somente um pensou em glorificar a Deus louvando-o por sua maravilhosa obra de graça.

CONFISSÃO DO PECADO

Nós adoramos a Deus e a ele damos glória quando confessamos nosso pecado. A passagem de 1João 1:9 é conhecida: *Se confessarmos os nossos pecados, ele é fiel e justo para nos perdoar os pecados e nos purificar de toda injustiça.* A palavra "confessar" nesse versículo é *homologeo*, que vem da união de dois termos gregos – *homo*, que significa "o mesmo", e *logos*, que significa "expressão". Literalmente, significa "dizer a mesma coisa que", ou "expressar completa concordância". A confissão é a plena concordância com Deus sobre a nossa responsabilidade pelo pecado e a total crueldade do pecado.

Nem sempre pensamos na confissão do pecado como adoração, mas ela é. Quando confessamos nossos pecados, estamos nos humilhando perante Deus, reconhecendo sua santidade, experimentando sua fidelidade e sua justiça em nos perdoar, aceitando qualquer punição que ele possa dar e, consequentemente, glorificando-o.

De fato, a confissão serve ao duplo propósito de ser um ato de adoração em si e de preparar o pecador arrependido para adorar. Hebreus 9:14 diz que a purificação limpa a nossa consciência *para servirmos o Deus vivo!* (ARA). A palavra grega para *servir* nesse versículo é *latreuo*, que significa "adorar". A purificação que acontece na confissão e no perdão é um importante preparativo para a adoração.

O relato de Acã no Antigo Testamento é um exemplo de como Deus é glorificado na confissão do pecado. Acã desobedeceu a Deus quando roubou riquezas da cidade de Jericó. Ele pensou que, se enterrasse em sua tenda o que havia roubado, ninguém jamais saberia. Mas Deus viu através do barro e ficou tão desgostoso com Acã que toda a nação de Israel sofreu por causa disso. Eles foram derrotados na batalha em Ai, e muitos israelitas morreram numa viva ilustração de que Deus não pode abençoar nosso pecado.

Quando Josué se deu conta do que havia acontecido e o pecado de Acã estava prestes a ser revelado, disse a Acã: *Filho meu, dá glória ao* SENHOR, *Deus de Israel, confessando perante ele. Não escondas nada de mim* (Josué 7:19). Josué fez a conexão lógica entre a confissão do pecado e a glorificação a Deus.

É um paralelo apropriado. Confessar o pecado é glorificar a Deus; isso isenta Deus e reconhece que ele é santo ao agir com julgamento contra o mal. Dessa forma, Deus está preservado de qualquer acusação de maldade ao nos castigar e, assim, é glorificado.

Desculpar o pecado, por outro lado, é contestar Deus. A recusa em reconhecer nossa responsabilidade pelo pecado implica culpar Deus.

Foi o que Adão fez. Após ter pecado, ele tentou jogar a culpa em outra pessoa: *A mulher que me* DESTE *deu-me da árvore, e eu comi* (Gênesis 3:12, ênfase acrescentada). À primeira vista, parece que Adão estava culpando a mulher; porém, um exame mais detalhado mostra que ele estava sugerindo que Deus, que tinha criado e lhe confiado Eva, era, no final das contas, o responsável pela situação. Adão estava atribuindo a Deus a responsabilidade pela injustiça, difamando assim o caráter de Deus.

O apóstolo João registra uma interessante declaração ao descrever as pragas que deverão ser lançadas sobre a terra durante a tribulação. Apocalipse 16:8,9 diz:

> O quarto anjo derramou sua taça sobre o sol, e foi-lhe permitido queimar os homens com fogo. Os homens foram queimados com grande calor e blasfemaram contra o nome de Deus, que tem poder sobre essas pragas, mas não se arrependeram para glorificá-lo.

O reconhecimento do pecado e o arrependimento teriam glorificado a Deus, porque seriam uma confissão de que Deus fez o que tinha de fazer e todos os seus caminhos eram corretos. Os homens em questão foram julgados, porém, porque recusaram a adoração de confissão.

ABUNDÂNCIA DE FRUTO

Os crentes frutíferos também glorificam a Deus. Em João 15:8, Jesus afirmou: *Meu Pai é glorificado nisto: em que deis muito fruto*. Produzir fruto espiritual, então, é parte essencial da verdadeira adoração. Uma passagem paralela é Salmos 92:13-15:

> Plantados na casa do Senhor, florescerão nos átrios do nosso Deus.
> Na velhice ainda darão frutos, serão viçosos e verdejantes, para proclamar que o Senhor é justo.

Filipenses 1:10,11 confirma que o fruto espiritual glorifica a Deus: *Para que aproveis as coisas superiores, a fim de serdes sinceros e irrepreensíveis até o dia de Cristo, cheios do fruto de justiça, que vem por meio de Jesus Cristo, para glória e louvor de Deus.*

Colossenses 1:10 diz: *Assim, oramos para que possais viver de maneira digna do Senhor, agradando-lhe em tudo, frutificando em toda boa obra e crescendo no conhecimento de Deus*. Isso explica claramente o que é frutificação. O fruto que produzimos para glória de Deus é o fruto das boas obras. Efésios 5:9 diz: *Pois o fruto da luz está em toda bondade, justiça e verdade.*

Gálatas 5 expande isso, demonstrando que o fruto pode se manifestar em atitudes e ações: *Mas o fruto do Espírito é: amor, alegria, paz, paciência, benignidade, bondade, fidelidade, amabilidade e domínio próprio (v. 22,23)*. O fruto, poderíamos dizer, é algo em nossa vida que reflete o caráter de Deus.

Heinrich Heine, famoso filósofo alemão e cético, desafiou: "Mostre-me sua vida redimida, e eu poderia ser inclinado a crer em seu redentor". O fruto espiritual evidencia para o mundo os resultados de uma vida obediente. O fruto que produzimos revela o caráter de Deus aos que não o conhecem. Assim como o fruto real de uma árvore é a reprodução genética das características da árvore-mãe, o fruto espiritual é a reprodução das características de Jesus Cristo, que declarou: *Eu sou a videira verdadeira* (João 15:1).

ORAÇÃO CONFIANTE

Adicionalmente, a adoração e a oração são inseparáveis. João 14:13 é uma declaração cristalina de que a oração glorifica a Deus: *E eu farei tudo o que pedirdes em meu nome, para que o Pai seja glorificado no Filho.*

O versículo não diz que ele nos dará tudo o que pedirmos. O pré-requisito é que o nosso pedido seja em nome de Jesus – e isso não significa simplesmente acompanhar cada oração com um "em-nome-de-Jesus-amém". Orar em nome de Jesus significa orar no interesse de Jesus, fazendo os pedidos que estejam alinhados à vontade dele. O que pedimos *deve* estar de acordo com sua vontade. Não é possível orar em nome de Jesus por algo que ele não queira.

Isso elimina pedidos egoístas. Significa também que, antes de orarmos, precisamos compreender a mente de Cristo. Muitos cristãos tendem a ver a oração apenas como uma forma de obter algumas coisas ou um jeito de escapar de outras. Parece que perdemos o conceito de oração como comunhão – viver na consciência da maravilhosa presença de Deus, comunicando-nos com ele, ecoando sua Palavra, ajustando nossos desejos à vontade dele, e então orando por sua realização – *Seja feita a tua vontade* (Mateus 26:42).

A consumação de tal oração é quando Deus é glorificado na resposta. A oração não informa a Deus coisas que ele desconheça – seu propósito é permitir que ele manifeste sua glória ao responder. Quanto mais específicas forem nossas orações, mais claramente a glória de Deus será revelada na resposta. E, em última instância, sua glória é mais importante que a resposta à oração.

DISPOSIÇÃO PARA SOFRER

Adoramos a Deus ao amá-lo o suficiente para sofrer por ele. No capítulo anterior, notamos que viver para a glória de Deus sempre envolve sofrimento. Você se lembrará de que Pedro foi chamado para glorificar a Deus morrendo por ele. Pedro levou o desafio a sério, e sua vida e seus escritos são um estudo do relacionamento entre o sofrimento e a glória. É o tema de sua primeira epístola.

Pedro escreveu: *Se sois insultados por causa do nome de Cristo, sois abençoados [...]. Mas, se sofrer como cristão, não se envergonhe disso; pelo contrário, glorifique a Deus com esse nome* (1Pedro 14a,16a).

Micaías foi lançado na prisão. Isaías foi serrado ao meio. Paulo foi decapitado. A tradição diz que Lucas foi enforcado numa oliveira, e Pedro foi crucificado de cabeça para baixo. Dessa forma, eles glorificaram a Deus. Talvez Deus nos chame para sofrermos martírio, mas, se ele o fizer ou não, devemos adorá-lo por nossa *disposição* em sofrer mesmo que seja a morte por ele. Sofrer por ele é a suprema honra ao seu santo nome, e mostra que o consideramos nosso maior prêmio e quinhão.

UM CORAÇÃO ALEGRE

O verdadeiro adorador tem também uma vida de contentamento, independentemente das circunstâncias. O contentamento dá testemunho da sabedoria e soberania de Deus e, com isso, o glorifica. O descontente, por outro lado, é essencialmente rebelde. A pessoa descontente na verdade está culpando Deus.

O contentamento dá testemunho da sabedoria e da soberania de Deus e, com isso, o glorifica.

A mensagem de Filipenses 4 é: *Alegrai-vos sempre no Senhor; e digo outra vez: Alegrai-vos!* Começando no versículo 10, vemos a ilustração da atitude de Paulo de completo contentamento. Os filipenses lhe haviam enviado uma oferta de algum dinheiro, e ele escreveu para agradecer-lhes:

Alegro-me muito no Senhor por terdes finalmente renovado o vosso cuidado para comigo, do qual na verdade estáveis lembrados, mas vos faltava oportunidade. Não digo isso por causa de alguma necessidade, POIS JÁ APRENDI A ESTAR SATISFEITO EM TODAS AS CIRCUNSTÂNCIAS

EM QUE ME ENCONTRE. Sei passar necessidade e sei também ter muito; tenho experiência diante de qualquer circunstância e em todas as coisas, tanto na fartura como na fome; tendo muito ou enfrentando escassez. Posso todas as coisas naquele que me fortalece. (v. 10-13, ênfase acrescentada)

Como ter esse tipo de contentamento é uma lição que poucas pessoas aprenderam. No versículo 17, Paulo acrescentou: *Não que eu procure doações, mas procuro o fruto que amplie o vosso crédito*. Em outras palavras, Paulo se alegrou mais com o fato de os filipenses estarem crescendo e produzindo fruto do que com o dinheiro em si. Ele conclui nos versículos 19 e 20 expressando louvor e confiança transbordantes em seu coração em razão do seu contentamento: *O meu Deus suprirá todas as vossas necessidades, segundo sua riqueza na glória em Cristo Jesus*. AO NOSSO DEUS E PAI SEJA DADA GLÓRIA PELOS SÉCULOS DOS SÉCULOS. AMÉM (ênfase acrescentada).

É fácil alegrar-se quando se recebe uma doação em dinheiro, mas Paulo se alegrou também em circunstâncias adversas. Quando Paulo escreveu que podia alegrar-se na adversidade, não estava falando sem conhecimento de causa – ele havia passado por todos os tipos de adversidade. A passagem de 2Coríntios 11:23-28 traz uma lista de coisas que Paulo sofreu:

[Estive em] *muito mais em trabalhos; muito mais em prisões; em chicotadas sem medida; em perigo de morte muitas vezes; cinco vezes recebi dos judeus trinta e nove chicotadas. Três vezes fui espancado com varas, uma vez fui apedrejado, três vezes sofri naufrágio, passei um dia e uma noite em mar aberto. Muitas vezes passei por perigos em viagens, perigos em rios, perigos entre bandidos, perigos entre os do meu próprio povo, perigos entre gentios, perigos na cidade, perigos no deserto, perigos no mar, perigos entre falsos irmãos; em trabalho e cansaço, muitas vezes em noites sem dormir, com fome e com sede, muitas vezes sem comida, com frio e com falta de roupas. Além de outras coisas, ainda pesa diariamente sobre mim a preocupação com todas as igrejas.*

COMO GLORIFICAR A DEUS

Além disso, o apóstolo assumiu a aflição de outros crentes: *Quem se enfraquece, que eu também não me enfraqueça? Quem se escandaliza, que eu também não fique indignado?* (v. 29).

Mas Paulo continuou: *Se é preciso orgulhar-me, haverei de me orgulhar de minha fraqueza* (v. 30). Ele não disse: "Eu darei glória a Deus apesar do meu sofrimento". Ele afirmou: "Eu darei glória a Deus *por causa* da minha fraqueza". Tal contentamento marca a adoração verdadeira e espiritual.

UM TESTEMUNHO CLARO

Adoramos a Deus ao proclamar sua Palavra com clareza. Paulo escreveu aos tessalonicenses: *Por fim, irmãos, orai por nós, para que a palavra do Senhor seja divulgada e glorificada, como também aconteceu em vosso meio* (2Tessalonicenses 3:1). Quando a Palavra de Deus é anunciada, quando as pessoas a ouvem e são salvas, Deus é glorificado. Atos 13:48,49 registra a resposta à pregação de Paulo: *Ouvindo isso, os gentios alegravam-se e glorificavam a palavra do Senhor. E todos os que haviam sido destinados para a vida eterna creram. E a palavra do Senhor divulgava-se por toda a região.*

A glória de Deus é inerente à sua Palavra. Por isso, sempre que expomos a palavra, nós o estamos glorificando. Quando proclamamos a Palavra e, por intermédio dela, levamos outros a Cristo, estamos glorificando a Deus da forma suprema, porque, quando uma pessoa é redimida, ela também começa a adorar em espírito e em verdade e dedica sua vida à glória de Deus. A adoração produz adoradores, e o ciclo de glorificação a Deus é iniciado na vida de um novo crente.

Obviamente, existem muitas outras formas indicadas nas Escrituras para adorar e glorificar a Deus. Contudo, ao examinarmos passagens que determinam especificamente como Deus é glorificado, fica evidente que a verdadeira adoração é uma busca ativa, envolvente e interminável. Quando o adorador dá sua vida à glória de Deus, descobre uma rica fonte de alegria, poder e significado não disponível a todo mundo, porque a vida que honra a Deus é a única vida à qual Deus honra.

CAPÍTULO QUINZE

COMO A ADORAÇÃO DEVERIA SER

A adoração, como vimos, envolve tudo o que está no interior da pessoa, tudo o que está fora dela, e tudo o que acontece na reunião do povo de Deus. William Temple (arcebispo de Cantuária no início dos anos 1940) assim definiu adoração: "Adorar é despertar a consciência pela santidade de Deus, alimentar a mente com a verdade de Deus, limpar a imaginação por meio da beleza de Deus, abrir o coração ao amor de Deus e dedicar a vontade ao propósito de Deus".[1]

A adoração é tudo o que somos, reagindo corretamente a tudo o que Deus é.

Adoração é tudo o que somos, reagindo corretamente a tudo o que Deus é. Neste estudo, examinamos a importância da adoração. Vimos que a base, o fundamento, para a adoração é a salvação pessoal. Reconhecemos que o único objeto válido da nossa adoração é o Deus vivo e verdadeiro, tal como ele se revelou em sua Palavra. Determinamos que a esfera da adoração está em toda parte e em todos os momentos e, especialmente, na comunhão dos redimidos. Discutimos a essência da adoração e ressaltamos que ela deve estar perfeitamente equilibrada entre o espírito e a verdade – a Palavra de Deus e o coração. E destacamos algumas formas práticas de glorificar e adorar a Deus como se deve. Finalmente, queremos obter uma visão geral da adoração aceitável e de como ela afeta nossa vida, o que nos fará caminhar pelas muitas verdades já vistas aqui.

[1] TEMPLE, William. *The Hope of a New World*. London: Student Christian Movement, 1940, p. 30.

PREPARAÇÃO PARA ADORAR

A adoração aceitável não acontece espontaneamente. A preparação é essencial. Num culto de adoração, por exemplo, o coro se prepara, o pregador se prepara e a organista e outros músicos se preparam. Mas a preparação mais importante de todas é a do adorador individual, e essa é normalmente a mais negligenciada. Como traduzir toda verdade que estudamos sobre a adoração em preparativos para a adoração?

Hebreus 10:22, um chamado à adoração, traz luz ao tipo de preparação que Deus espera de um adorador:

> Aproximemo-nos com coração sincero, com a plena certeza da fé, com o coração purificado da má consciência e tendo o corpo lavado com água limpa.

Esse versículo sugere quatro pontos de controle para testar a nossa prontidão para adorar. O primeiro é a *sinceridade*. Devemos nos aproximar *com coração sincero*. A adoração aceitável requer um coração verdadeiro, fixado e focado em Deus e em sua glória. A hipocrisia é fatal à adoração. Assim são uma mente errante, a preocupação com o ego e a apatia. Não podemos nos apressar a entrar na presença de Deus com um coração insincero. Isso deve estar claro com base em tudo o que aprendemos.

Um segundo ponto de controle na preparação para a adoração é a *fidelidade: Aproximemo-nos [...] com plena certeza da fé*. O escritor da carta aos Hebreus estava se dirigindo a pessoas acostumadas à antiga aliança, que tentavam corresponder às velhas práticas de adoração. Mas a nova aliança havia chegado, com a revelação de Jesus Cristo, e os mistérios do Antigo Testamento estavam sendo descobertos. Para adorar a Deus, os hebreus precisavam dizer não à antiga aliança e a suas cerimônias, sacrifícios, símbolos, figuras e tipos. O antigo se fora – havia sido posto de lado. Uma aliança nova e melhor havia chegado, e eles deveriam estar dispostos a buscar a Deus em plena certeza da fé revelada do Novo Testamento.

A nova aliança, em contraste com a antiga, não é um sistema baseado em cerimônias, sacrifícios e obediência externa à lei. Sua verdade não é encoberta por tipos e figuras. Ela requer que o adorador se aproxime de Deus com plena certeza de que seu acesso é pela fé em Jesus Cristo. Adorar em plena certeza de fé é adorar segundo a verdade de que apenas a fé é a base da aceitação por Deus. Boas obras, méritos, farisaísmo, rituais e outros atos da carne não nos dão acesso a Deus. O verdadeiro adorador deve se aproximar exclusivamente com base em sua fé. Isso é fidelidade.

Um terceiro ponto de controle é a *humildade*. Hebreus 10:22 diz: *Aproximemo-nos* [...] *com o coração purificado da má consciência*. Embora nos aproximemos de Deus confiantemente, com plena certeza da fé, devemos, no entanto, fazê-lo com humildade em razão da nossa indignidade, sabendo que não temos o direito de estar lá sem a purificação do sangue de Jesus Cristo, porque o nosso coração é mau.

O ponto de controle final em Hebreus 10:22 é a *pureza. Aproximemo-nos* [...] *tendo o corpo lavado com água limpa*. Não se trata de uma alusão à limpeza material do corpo, mas de uma referência à confissão diária e à limpeza espiritual necessárias para lidar com os pecados de nossa humanidade. A lavagem com o sangue de Cristo que ocorre na conversão é uma limpeza permanente e completa da vida, mas nossos pés tendem a escolher o pó do mundo no qual caminhamos, e isso requer uma lavagem periódica.

Um incidente que ocorreu na noite em que Jesus foi traído ilustra a necessidade de tal limpeza. Jesus fora com seus discípulos a uma sala na qual eles participaram da refeição pascal juntos. Violando os costumes sociais do dia, não havia ali nenhum servo para lavar os pés sujos de poeira dos homens que caminhavam nas estradas. Nenhum dos discípulos, que discutiam sobre quem era o maior no reino, se ofereceu para realizar a tarefa subalterna. Ao que tudo indica, todos estavam preparados para ignorar a falha um tanto óbvia. Todos, com exceção do próprio Jesus, que, no papel de servo, pegou uma bacia e uma toalha e começou a lavar os pés dos discípulos.

Quando Jesus chegou a Pedro, este quis impedir que Jesus o servisse. *Nunca lavarás meus pés*, ele disse (João 13:8). Mas Jesus respondeu: *Se eu não te lavar, não terás parte comigo* (v. 8), ao que Pedro retrucou: *Senhor, não laves somente os pés, mas também as mãos e a cabeça* (v. 9). Jesus disse então a Pedro: *Quem já se banhou precisa apenas lavar os pés, pois no mais está todo limpo* (v. 10).

A primeira carta de João 1:9 fala sobre esse essa limpeza meticulosa: *Se confessarmos os nossos pecados, ele é fiel e justo para nos perdoar os pecados e nos purificar de toda injustiça.* Essa confissão diária e a limpeza da impureza dos pecados são pré-requisitos para chegarmos à presença de Deus e, portanto, pré-requisitos para a adoração aceitável.

Estes são, portanto, os pontos de controle: sinceridade, fidelidade, humildade e pureza.

Estes são, portanto, os pontos de controle: sinceridade, fidelidade, humildade e pureza. Sem eles, não estamos preparados para entrar na presença de Deus para adorar. Se, contudo, formos aprovados nesses pontos de controle, poderemos nos aproximar com plena certeza, e Deus se aproximará de nós. Essa é a divina promessa, e a adoração alcança sua altura mais sublime quando o adorador está vivendo na presença de Deus, no brilho de sua glória, uma vida de adoração.

ADORAÇÃO QUE SUPERA OS OBSTÁCULOS

Bem poucos cristãos, eu receio, parecem ter a experiência desse tipo de adoração. Muitas pessoas vão à igreja durante anos, mas nunca realmente se aproximam de Deus e nunca têm uma clara percepção de Deus se aproximando delas. Elas se queixam de que a adoração é difícil, e parecem enfrentar obstáculos intransponíveis em sua vida devocional particular. A adoração como Deus pretende não precisa ser dificultada por tais obstáculos, como vemos por alguns tipos de adoração de superação apresentadas nas Escrituras.

Uma é a *adoração de arrependimento.* O rei Davi havia cometido um grande pecado que certamente resultara num obstáculo entre ele e Deus. Ele cometera adultério com Bate-Seba e depois mandara matar o marido dela. Bate-Seba concebeu um filho como resultado do seu pecado, e a criança nascida dessa união acabou morrendo. Davi sabia que Deus apenas estava punindo Davi por seu pecado. Esta foi a reação do rei, no momento em que compreendeu a disciplina do Senhor: *Então Davi se levantou do chão, lavou-se, pôs óleo aromático e mudou de roupa; então entrou no santuário do Senhor e adorou* (2Samuel 12:20).

Essa é a adoração de arrependimento. Davi estava numa situação trágica – a perda do seu filho recém-nascido –, todavia adorou a Deus, porque sabia que estava recebendo o que merecia. Mesmo em seu castigo, Davi adorou.

O castigo sempre apela ao louvor. Deus nos castiga porque ele nos ama, e o nosso coração deve responder com adoração. O arrependimento sincero é quando a alma diz: "Eu pequei e mereço ser castigado. Errei contra a verdade e, mais importante, pequei contra Deus". Bem no meio da punição, a adoração de arrependimento resulta no derramamento do coração a Deus, em confissão de culpa e reconhecimento de que estamos recebendo o que merecemos, independentemente da calamidade. Onde não há louvor, onde permanecem a raiva e a amargura contra Deus, aí não há sincero arrependimento e confissão de pecado.

Foi por isso que Davi pôde entrar na casa do Senhor e adorar a Deus enquanto Deus o castigava. E esse é o compromisso com a adoração do qual o povo de Deus precisa.

Um segundo tipo de adoração que quebra barreiras é a *adoração de submissão*. Quando Jó ouviu a notícia de que tudo o que ele amava havia sido destruído – suas propriedades, seus animais e até seus filhos –, ele praticou a adoração de submissão. A Bíblia diz: *Então Jó se levantou, rasgou o manto, rapou a cabeça, prostrou-se no chão, [e] adorou* (Jó 1:20). Muitas pessoas teriam ficado amargas e amaldiçoado Deus.

Jó não havia pecado como Davi. Deus não o estava castigando por causa do pecado – estava permitindo que Satanás o testasse. Todavia Jó disse: *Eu saí nu do ventre de minha mãe, e nu voltarei para lá. O Senhor o deu, e o Senhor o tirou; bendito seja o nome do Senhor* (v. 21). Sua reação foi de inquestionável submissão.

Muitas pessoas não são capazes de adorar a Deus porque se recusam a aceitar seu lugar na vida, seu trabalho, sua carreira, seu cônjuge, seus filhos ou outras circunstâncias que Deus produz na vida. A reação é de amargura, e elas não conseguem adorar.

Jó foi capaz de enxergar além das circunstâncias presentes e ver a bondade de Deus em seu plano, por isso declarou: *Mas ele sabe o caminho por onde ando; se me colocasse à prova, sairia como o ouro* (Jó 23:10). Quando Deus de fato produz circunstâncias negativas em nossa vida, ele sempre tem um propósito positivo.

De fato, nós invariavelmente entramos em dificuldade quando não temos problemas, porque realmente não crescemos. Em Jeremias 48:11, Deus está preparando um julgamento para Moabe e diz:

> Moabe tem estado em paz desde a sua juventude e repousado como o vinho com seus resíduos; não foi decantada de vasilha em vasilha, nem foi para o cativeiro; por isso o seu sabor é o mesmo, e o seu cheiro não mudou.

O povo de Moabe havia tido uma vida tão suave e fácil que se tornara rançoso. A analogia usada por Jeremias é a da vinicultura. Os vinicultores dos dias de Jeremias colocavam uvas esmagadas num recipiente e as deixavam repousar. Com o tempo, o amargor e o sedimento – chamado *borra*, ou sujeira – assentavam no fundo. O vinicultor separava o vinho da parte de cima em outra vasilha, e a parte amarga remanescente se assentava novamente no fundo de uma segunda vasilha. Então ele derramava esse vinho em outra vasilha, e outra, e outra – e, ao longo de um período de tempo, o sedimento e a causticidade seriam removidos (os antigos a usavam para fazer vinagre), e o vinho teria o aroma e a doçura desejados pelo fabricante.

Moabe nunca perdera sua causticidade, porque o povo nunca havia sido derramado de uma situação difícil para outra situação difícil, na qual a amargura (a causticidade) pudesse ser purgada.

Estamos melhores na vida se Deus nos derramar de provação em provação, porque, sempre que formos derramados para uma provação diferente, cada vez que formos confinados a uma circunstância indesejável, um pouco da amargura é removida da nossa vida. Finalmente, um dia Deus nos derrama da última provação, e tudo o que resta é o doce aroma que ele procurou o tempo todo – toda a amargura se acabou.

Um terceiro tipo, *a adoração de devoção*, é visto na vida de Abraão. Deus havia ordenado a Abraão que lhe oferecesse o filho Isaque como holocausto. Isso significava matá-lo e queimá-lo sobre o altar. Gênesis 22 relata o que aconteceu:

> Abraão levantou-se de manhã cedo, preparou o seu jumento e tomou dois de seus servos e Isaque, seu filho; e, tendo cortado lenha para o holocausto, partiu para o lugar que Deus lhe havia mostrado. Ao terceiro dia Abraão levantou os olhos e viu o lugar de longe. Então Abraão disse a seus servos: Ficai aqui com o jumento; eu e o moço iremos até lá e, depois de adorar, voltaremos. (v. 3-5)

Parece incrível que Abraão, sabendo que Deus tiraria a vida do próprio filho, pudesse ver isso como uma forma de adoração. Ele havia se decidido a adorar, não importava o custo. Ele enxergou além dos obstáculos da dor, da dificuldade e da perda de seu filho, e adorou. Algumas pessoas não adoram a Deus por acharem que isso pode lhes custar um pouco de sacrifício de tempo e esforço. Até onde se pode estar disposto a enterrar uma faca no peito do seu filho amado e chamar isso de adoração, porque Deus ordenou?

É digno de nota que Abraão não tenha usado a palavra *sacrifício*. Ele viu além disso. Estava tão dedicado a adorar a Deus que enxergou além da agonia imediata e se dispôs a pagar o terrível preço se essa fosse a vontade de Deus. Como todo adorador verdadeiro, ele estava disposto a oferecer a adoração de devoção, embora isso lhe custasse o preço máximo.

OS RESULTADOS DA ADORAÇÃO IDEAL

Quando o povo de Deus adora da forma como Deus requer, vários resultados podem ser observados. Acima de tudo, e obviamente, *Deus é glorificado.* Glorificar a Deus, como vimos anteriormente, é o elemento fundamental da adoração. Adorar é atribuir glória a Deus, reconhecendo sua glória e oferecendo louvor a ele por isso. Deus o exige. Em Levítico 10:3, o Senhor diz: *Manifestarei minha santidade entre aqueles que se aproximarem de mim e serei glorificado diante de todo o povo.*

Deus quer ser separado e glorificado entre o seu povo. A adoração realiza isso. Lembre-se de Salmos 50:23: *Aquele que oferece sacrifício de ação de graças me glorifica.* E, se toda adoração fosse assim realizada, seria suficiente. Mas não é.

Quando adoramos a Deus como ele deseja ser adorado, *os crentes são purificados.* Como vimos no Capítulo 8 anteriormente, quando nos aproximamos de Deus para adorar, imediatamente deparamos com a realidade de que não podemos entrar na presença dele, a menos que cada um de nós seja *limpo de mãos e puro de coração* (Salmos 24:4). Um indivíduo que adora é um indivíduo puro, e uma igreja que adora é uma igreja pura.

A adoração exige pureza. Temos visto muitas vezes que o pré-requisito para entrar na presença de Deus é o reconhecimento da iniquidade pessoal e a disposição em abandonar essa iniquidade. O ardente desejo de ser puro e limpo é o resultado normal de estar com Deus. Quanto mais nos aproximamos de Deus, mais devastados nos tornamos com nossa iniquidade.

Edificação não significa nos sentirmos melhor;
significa vivermos melhor.

A santidade de uma igreja ou de um indivíduo é a chave para a qualidade de sua adoração. E, reciprocamente, a qualidade da nossa adoração é a chave para a nossa santidade. Por exemplo, o autoexame e a purificação que acontecem na observância da ceia do Senhor não podem ser separados do ato de adoração. A igreja primitiva celebrava a ceia do Senhor com frequência – ao que tudo indica, até mesmo diariamente. Talvez tenha sido essa a razão para o seu poder espiritual.

De fato, outra característica de adoração como Deus pretende que seja é que *a igreja é edificada* – os santos são edificados e transformados. A maneira como se adora individualmente afeta não apenas a vida pessoal, mas também a vida da igreja como um todo. Se a sua adoração é aceitável, a igreja é fortalecida e edificada. Mas, se a sua adoração é inaceitável, a igreja se enfraquece.

Um exame criterioso do livro de Atos revela que, quando a igreja estava adorando, ela encontrava o favor de Deus, e o Senhor fazia a igreja crescer diariamente com os que se salvavam. Eles encheram a cidade com sua doutrina, viraram o mundo de cabeça para baixo. Eram simpáticos, atraentes e dinâmicos.

Edificação não significa nos sentirmos melhor; significa vivermos melhor. O Senhor limpa, purifica e edifica a igreja. Quando os santos se reúnem para adorar a Deus, tornam-se mais fortes tanto coletiva quanto individualmente, e a transformação acontece porque *todos nós, com o rosto descoberto, refletindo como um espelho a glória do Senhor, somos transformados de glória em glória na mesma imagem, que vem do Espírito do Senhor* (2Coríntios 3:18).

Esse versículo lembra Moisés, que teve um relacionamento íntimo com Deus. Êxodo 33:11 diz: *E o Senhor falava com Moisés face a face, como quem fala com seu amigo.* Moisés experimentou a mais pura, a mais rica e a mais significativa adoração possível, face a face com Deus. Deus até permitiu que sua glória passasse diante de Moisés – e foi uma experiência transformadora. Mais tarde, o rosto de Moisés brilhou. Sua face se cobriu de brilho tão intenso que os israelitas ficaram assustados ao olhar para ele. Ele não era o mesmo homem de antes; era um reflexo vivo da glória de Deus. Toda adoração tem esse tipo de efeito transformador. Em santa intimidade, o verdadeiro adorador se encontra face a face com Deus e é transformado pela glória.

Se a adoração conjunta na igreja não deixa as pessoas mudadas, a igreja não está realmente adorando. Se o que acontece no culto não estimula os santos a maior obediência, chame do que quiser, mas não é adoração. A adoração sempre resulta numa transformação, e a igreja é edificada por ela.

Finalmente, quando adoramos a Deus de forma aceitável, *os perdidos são evangelizados.* O profundo testemunho de uma adoração do indivíduo ou da igreja tem maior impacto sobre o perdido do que muitos sermões.

A adoração, como vimos repetidas vezes neste estudo, é o grande propósito para o plano redentor. A doutrina da adoração, então, é a alma da evangelização. Alguns separam a adoração da evangelização, mas esse é um erro grave. Não há nada mais importante na vida de qualquer homem ou mulher do que uma vida orientada para adorar a Deus a fim de alcançar outros.

O próprio Jesus fez da adoração um assunto de evangelização. Não nos esqueçamos de que o discurso de Jesus sobre a importância da verdadeira adoração em João 4 não foi dirigido aos fariseus ou a outros líderes religiosos. Também não foi dirigido a multidões de adoradores no monte do templo em Jerusalém. Jesus estava em Samaria, falando a uma mulher descrente e imoral – uma adúltera serial –, cuja religião era tão corrupta quanto sua moralidade. A samaritana não era uma fiel seguidora do judaísmo do Antigo Testamento.

De todos os assuntos que Jesus podia ter discutido com ela, ele escolheu a adoração. Isso mostra a forma perfeita como nosso Senhor lidou pessoalmente com as necessidades dos indivíduos. No decurso da breve conversa, ele conseguiu convencer a mulher de que era o Messias, mostrou-lhe a forma de adoração aceitável e a levou à salvação.

As palavras de Jesus sobre a adoração foram exatamente o que a situação exigia. Ele não apresentou à samaritana um "plano de salvação". Foi diretamente ao âmago da questão. Primeiro, Jesus desafiou a mulher a adorar a Deus em espírito e em verdade e, ao fazer isso, ele a levou à fé. A mulher creu, foi redimida e se tornou uma verdadeira adoradora.

Qual foi a última vez que você evangelizou alguém dessa maneira? Todavia, uma parte essencial da mensagem evangelística é chamar homens e mulheres à adoração, porque Deus, o Pai do Senhor Jesus Cristo, é digno de adoração.

Uma senhora judia foi à sinagoga do bairro de nossa igreja à procura de conselho, porque o seu casamento estava em crise. Disseram-lhe que não podiam aconselhá-la até que ela pagasse suas dívidas. Compreensivelmente, ela ficou muito angustiada. Era manhã de domingo e, quando ela saiu da sinagoga, vendo-se no meio da multidão que se dirigia à nossa igreja, acabou entrando para o culto. Ela ficou tão impressionada com a atmosfera de adoração que creu em Cristo como Salvador. Eu a batizei algumas semanas depois disso.

Mais tarde, ela me confessou não se lembrar muito do sermão, mas ficou totalmente admirada com a alegria, a paz e o amor entre as pessoas enquanto elas adoravam. Ela nunca vira algo semelhante. Como resultado do testemunho coletivo de inúmeras pessoas adorando, aquela mulher se tornou cristã.

Esse tipo de coisa tem acontecido repetidas vezes. Quando o povo de Deus adora em conjunto, elevando o coração a Deus e experimentando sua infinita bênção, as faces brilham porque estão na presença do Senhor. Isso causa sobre as pessoas do mundo um impacto impossível de ser medido. Toda a nossa apologética e todos os nossos métodos evangelísticos jamais podem reproduzir o impacto da verdadeira adoração.

Tragicamente, apesar de tudo o que se fala sobre Deus, de todas as transmissões radiofônicas feitas em nome do Senhor, de todas as pessoas que alegam ter a experiência da salvação, não vemos nos dias de hoje muita adoração tal como deveria ser. Oro para não perdermos a visão dela por completo.

Um adorador puritano anônimo escreveu as palavras seguintes que resumem o sentido real da prioridade do verdadeiro adorador:

GLORIOSO DEUS,

A chama de minha vida é adorar a ti,
A coroa e a glória da minha alma são adorar-te,
Prazer celestial é me aproximar de ti.
Capacita-me por teu Espírito

A agora te adorar,
Para que eu possa esquecer o mundo,
E ser trazido à plenitude de vida,
Para que eu seja renovado, confortado, abençoado.
Dá-me conhecimento de tua bondade
Para que eu não fique temeroso por tua grandeza;
Concede-me ó Jesus, Filho do homem, Filho de Deus,
Que eu não fique aterrorizado,
E sim me aproxime com amor filial,
Com ousadia santa.
Ele é meu mediador, irmão, intérprete,
Braço, Árbitro, Cordeiro;
A ele glorifico,
Nele eu me edifico.
Coroas para ofertar não tenho,
Mas a que tu deste eu devolvo,
Contente de sentir que tudo é meu quando é teu,
E quanto mais é meu quando a ti entreguei.
Que eu viva inteiramente para o meu Salvador,
Livre de distrações,
De cuidados,
De empecilhos à busca do caminho estreito.
Fui perdoado pelo sangue de Jesus –
Dá-me nova percepção dele,
Continua perdoando-me por ele,
Que eu venha todos os dias à fonte,
E todos os dias seja novamente lavado,
Que eu possa sempre te adorar em espírito e em verdade.[2]

[2] BENNETT, Arthur. *The Valley of Vision*. Carlisle, PA: Banner of Truth, 1975, p. 196. [Tradução livre.]

APÊNDICE

Com o coração, a mente e a voz

Há alguns anos colaborei com uma série de livros sobre alguns dos mais importantes hinos da fé cristã.[1] Minha tarefa no projeto foi escrever uma sinopse doutrinária de cada hino que meus coautores e eu selecionamos. Foi um exercício fascinante e esclarecedor que me fez aprofundar muito na rica herança da hinologia cristã.

Ao pesquisar a história daqueles hinos, lembrei-me de que uma profunda mudança ocorreu na música da igreja ao final do século 19. A composição de hinos foi praticamente interrompida. Os hinos foram substituídos por "cânticos *gospel*" – geralmente mais leves em conteúdo doutrinário, com estrofes curtas seguidas por um refrão, um coro ou uma linha poética final, repetida após cada estrofe. Os cânticos *gospel*, em geral, eram mais evangelísticos que os hinos. Muitos eram expressões de testemunhos pessoais dirigidos a uma audiência, enquanto os hinos clássicos haviam sido cânticos de louvor dirigidos diretamente a Deus.

UMA NOVA CANÇÃO

O estilo e a forma do cântico *gospel* foram emprestados diretamente dos estilos musicais populares no fim do século 19. O homem mais comumente considerado o pai da música *gospel* é Ira Sankey, talentoso cantor e compositor que atingiu a fama como solista e líder de música das campanhas evangelísticas de D. L. Moody na América e Inglaterra.

Sankey procurou um estilo musical que fosse mais simples, mais popular e mais adequado ao evangelismo que os hinos clássicos. Por isso começou a compor músicas *gospel* – melodias geralmente curtas, simples,

---

[1] O primeiro livro da série de quatro partes foi escrito por Joni Eareckson Tada, John MacArthur, Robert e Bobbi Wolgemuth. *O Worship the King*. Wheaton, IL: Crossway, 2000.

APÊNDICE: COM O CORAÇÃO, A MENTE E A VOZ

com estribilhos, no estilo popular do seu tempo. Sankey cantava cada verso como um solo, e a congregação se juntava a ele em cada refrão. Embora a música de Sankey tenha provocado alguma controvérsia a princípio, a forma tornou-se mundialmente popular quase de imediato, e, por volta do início do século 20, alguns hinos preciosos foram acrescentados aos hinários modernos. A maioria das novas obras era do gênero *gospel* que Sankey inventou.

Examine qualquer hinário conhecido impresso no final do século 20 e você provavelmente encontrará apenas um hino com direito autoral datado após 1940: "Grandioso és tu".[2] E classificar essa obra como um hino do século 20 é forçar um pouco as coisas. "Grandioso és tu" não segue, na verdade, a forma dos hinos clássicos. Ele inclui um refrão, que é mais característico das músicas *gospel* que dos hinos. Além disso, não é nem mesmo uma obra do século 20. As três primeiras estrofes foram escritas originalmente em 1886 por um conhecido pastor sueco, Carl Boberg, e traduzidas pelo missionário britânico Stuart Hine, não muito após a eclosão da Segunda Guerra Mundial.[3] Hine acrescentou a quarta estrofe, que é o único verso em inglês popular daquele hino realmente escrito no século 20.[4]

Considere a ironia: durante o século mais evangelístico da história da igreja, embora esta estivesse crescendo numericamente, e movimentos missionários estivessem levando o evangelho mais longe que nunca, praticamente nenhum hino foi acrescentado ao repertório congregacional da música eclesiástica. E a maior parte dos cânticos e coros que eram frequentemente cantados há pouquíssimo tempo já é considerada fora de moda e caiu em desuso. Tendo menosprezado uma rica herança de

[2] Outros novos hinos foram escritos e publicados, é claro, incluindo *Tell Out My Soul*, de Timothy Dudley-Smith (1962). Mas nenhum deles teve sucesso no repertório do evangelicalismo predominante.

[3] [NT] Hinário *Salmos e hinos*, edição de 1980, nº 65, traduzido por Manoel da Silveira Porto Filho.

[4] BROWN, Robert K.; NORTON, Mark R. *The One Year Book of Hymns*. Wheaton: Tyndale House, 1995.

adoração e hinologia, os evangélicos teimam em garantir que sua música é "contemporânea". Isso, por definição, elimina qualquer coisa que possa ter valor duradouro.

De forma alguma estou sugerindo que as músicas *gospel* não tenham lugar legítimo na igreja. Muitos cânticos *gospel* são expressões de fé maravilhosamente ricas. Mas o que está em voga hoje parecerá antiquado amanhã. Por exemplo, o conhecido cântico de Ira Sankey "Noventa e nove ovelhas há"[5] quase nunca é cantado na igreja hoje, embora tenha sido sucesso em seu tempo. Ele improvisou a música imediatamente numa reunião evangelística de Moody em Edimburgo, usando as palavras de uma poesia que havia recortado anteriormente naquela tarde de um jornal de Glasgow. A poesia, escrita por Elizabeth Clephane, é uma adaptação simples e comovente da parábola da ovelha perdida relatada em Lucas 15:4-7.[6]

Uma canção favorita da época áurea das músicas *gospel* que mais perdurou é *Grace Greater Than Our Sin* [Graça maior que nosso pecado].[7] É uma celebração do triunfo da graça sobre o pecado.

> Graça que perdoará e purificará;
> [...] Graça maior que o nosso pecado!

Músicas como essas enriqueceram as expressões de fé da igreja.

Na maioria das vezes, no entanto, o crescimento da música *gospel* marcou uma diminuição de ênfase na verdade doutrinária objetiva e um aumento da experiência subjetiva. A mudança de foco afetou claramente o conteúdo das músicas. Devemos notar que algumas das músicas *gospel* originais são tão superficiais quanto à verdade bíblica e teológica que os duros opositores da música cristã contemporânea poderiam se queixar legitimamente.

---

[5] [NT] Hinário *Salmos e hinos*, edição de 1980, nº 147, traduzido por Sarah P. Kalley.
[6] POLLOCK, J. C. *Moody: A Biographical Portrait of the Pacesetter in Modern Mass Evangelism*. New York: MacMillan, 1963, p. 132-133.
[7] Escrito por Julia H. Johnston (música de Daniel B. Towner).

APÊNDICE: COM O CORAÇÃO, A MENTE E A VOZ

De fato, os críticos tradicionalistas que atacam a música contemporânea apenas porque é contemporânea no *estilo* – especialmente aqueles que pensam que a música antiga é sempre melhor – precisam repensar o assunto. E, por favor, compreenda que a preocupação que levanto tem que ver com conteúdo, não simplesmente com estilo.[8] Julgando apenas com base na poesia, algumas músicas de estilo antigo mais conhecidas são ainda mais ofensivas que as coisas modernas. Não consigo imaginar uma música contemporânea que seja mais banal que a velha amada *In the Garden* [No jardim]:

> Eu solitário no jardim,
> Quando o orvalho está ainda nas rosas,
> E a voz que eu ouço,
> Vindo aos meus ouvidos,
> O Filho de Deus revela.
>
> Ele anda comigo, e comigo fala,
> E me diz que sou dele;
> E a alegria que dividimos quando ali ficamos,
> Ninguém jamais conheceu.
>
> Ele fala, e o som de sua voz
> É tão doce que os pássaros se aquietam,
> E a melodia
> Que ele me deu,
> Ressoa em meu coração.
> Eu ficaria com ele no jardim,
> Mesmo ao cair da noite,
> Mas ele me manda ir;

---

[8] Creio que o estilo deve ser apropriado ao conteúdo e, por essa razão, oponho-me a algumas músicas cristãs contemporâneas com base no estilo. No entanto, a minha primeira preocupação – e o ponto que enfatizo neste capítulo – tem que ver com conteúdo, não com estilo.

No meio da voz de lamento
Sua voz me chama.[9]

Esses versos não trazem nenhuma substância real, e o que eles *de fato* dizem não é particularmente cristão. É uma pequena rima extremamente sentimental sobre a experiência e os sentimentos pessoais de alguém – e até passa uma mensagem um tanto quanto volúvel e ambígua. Enquanto os hinos clássicos procuravam glorificar a Deus, as músicas *gospel* como "No jardim" glorificavam um sentimentalismo rudimentar.

Várias músicas *gospel* sofrem do mesmo tipo de fraqueza. *Love Lifted Me* [Jesus me transformou], *Take My Hand, Precious Lord* [Vem, Senhor, me guiar], *Whispering Hope* [Brando qual coro celeste], *It Isaías No Secret What God Can Do* [Não é segredo o que Deus faz] são alguns exemplos conhecidos que rapidamente nos vêm à mente.

Obviamente, então, nem a antiguidade nem a popularidade de uma música *gospel* é uma boa medida do seu valor. O fato de uma música *gospel* ser "ao estilo antigo" com certeza não é garantia de que ela é adequada à edificação da igreja. Quando falamos sobre música eclesiástica, ser mais antiga não é ser necessariamente melhor.

Na verdade, essas mesmas músicas *gospel* "antiquadas" são as que prepararam o caminho para falta de substância em tantas músicas de hoje. Esse é o fruto previsível da mudança por atacado dos hinos para as músicas *gospel*.

Novamente, não estou sugerindo que a música introduzida por Sankey não teve um papel legítimo. As músicas *gospel*, sem dúvida, têm desempenhado um papel evangelístico e de testemunho efetivo e, portanto, *merecem* um lugar proeminente na música eclesiástica. Mas foi uma infelicidade para a igreja que, no início do século 19, tenham sido escritas praticamente *apenas* músicas *gospel*, quase encerrando a rica tradição da hinologia cristã que havia florescido desde o tempo de Martinho Lutero e mesmo muito antes.

---

[9] Letra de C. Austin Miles (1868-1946).

APÊNDICE: COM O CORAÇÃO, A MENTE E A VOZ

Anteriormente a Sankey, os compositores de hinos eram, na maioria, pastores e teólogos – homens hábeis no manejo das Escrituras e da sã doutrina.[10] Com a mudança para as músicas *gospel*, quase todo mundo com talento para a poesia se sentiu qualificado a escrever música eclesiástica. Afinal de contas, a música nova devia ser sobre testemunho pessoal ou uma simples expressão do sentimento, não algum tipo de imponente tratado doutrinário.

Antes de Sankey, os hinos eram compostos com um propósito didático deliberado e autoconsciente. Eram escritos para ensinar e reforçar conceitos bíblicos e doutrinários no contexto da adoração direcionada a Deus. O tipo de adoração que eles expressavam tinha por objetivo louvar a Deus, exaltando e proclamando sua verdade, de forma a aprimorar a compreensão da verdade pelo adorador. Eles estabeleceram um padrão de adoração tanto intelectual quanto emocional. E isso era perfeitamente bíblico. Afinal, o primeiro e grande mandamento nos ensina a amar a Deus de todo o nosso coração, alma *e entendimento* (Mateus 22:37). Nunca teria passado pela cabeça dos nossos ancestrais espirituais que o louvor era algo feito com o intelecto subjugado. Como enfatizamos desde o começo deste livro, a adoração que Deus busca é adoração em espírito *e em verdade* (João 4:23,24).

A noção moderna e pós-moderna de adoração como exercício puramente emocional tem causado enorme prejuízo às igrejas. Tem levado a um declínio da ênfase na pregação e no ensino e a uma ênfase cada vez maior no sentimentalismo e na paixão superficial. Tudo isso deixa o cristão no banco da igreja destreinado e incapaz de discernir, e muitas vezes jubilosamente ignorante dos perigos ao seu redor.

Esse anti-intelectualismo infectou também nossa música. Ou talvez a música frívola e banal é que tenha semeado tanto anti-intelectualismo em primeiro lugar. Na verdade, pode ser que a música eclesiástica moderna tenha contribuído, mais que qualquer outra coisa, para preparar o

---

[10] Isaac Watts, John Rippon, Augustus Toplady e Charles Wesley são alguns dos conhecidos escritores de hinos que foram, antes de tudo, pastores e teólogos.

caminho para o tipo de pregação superficial, frívola e sem conteúdo que é abundante hoje.

A ERA DOS CÂNTICOS DE LOUVOR

No final do século 20, aconteceu outra grande mudança. Um novo formato sucedeu às músicas *gospel*: os cânticos de louvor. Os cânticos de louvor consistem em versos com melodias atraentes, geralmente mais curtos que as músicas *gospel* e com menos estrofes – porém com muito mais repetição.

Os cânticos de louvor, assim como os hinos, são geralmente direcionados a Deus. Com essa recente mudança, voltou-se à adoração pura (em vez de ao testemunho e ao evangelismo) como foco principal e importante razão para o canto congregacional.

Ao contrário dos hinos, contudo, os corinhos geralmente não têm nenhum propósito didático. Os cânticos de louvor são feitos para serem cantados como simples expressão pessoal de louvor, enquanto os hinos geralmente são expressões coletivas de louvor com ênfase em alguma verdade doutrinária.[11] Um hino geralmente tem várias estrofes, cada qual construindo ou expandindo o tema introduzido na primeira estrofe.[12] Um cântico de louvor, ao contrário, é geralmente mais curto, com um ou dois versos, e a maioria faz repetições deliberadas para prolongar o enfoque numa única ideia ou expressão de louvor.

(Obviamente, essas não são todas as diferenças. Alguns corinhos contêm instruções doutrinárias, e alguns hinos são maravilhosas expressões

---

[11] O conhecido hino "Santo, Santo, Santo", por exemplo, é uma declamação dos atributos divinos com particular ênfase na doutrina da Trindade. *Jesus Thou Joy of Loving Hearts* [Jesus, a alegria de corações amorosos], um hino antigo, porém conhecido, é uma canção de louvor a Cristo cheia de ensinamentos sobre a suficiência de Cristo.

[12] No conhecido hino de Martinho Lutero "Castelo Forte", cada estrofe tem por base a anterior, e elas estão tão indissoluvelmente ligadas que pular um verso é destruir a continuidade e a mensagem do próprio hino. Não é o tipo de hino no qual apenas a primeira e a última estrofes podem ser cantadas.

APÊNDICE: COM O CORAÇÃO, A MENTE E A VOZ

do mais simples louvor.[13] Mas, como regra geral, os hinos clássicos serviram a um propósito mais didático que os cânticos de louvor.)

SALMOS, HINOS E CÂNTICOS ESPIRITUAIS

A perspectiva bíblica para música cristã se encontra em Colossenses 3:16: *A palavra de Cristo habite ricamente em vós, em toda a sabedoria; ensinai e aconselhai uns aos outros com salmos, hinos e cânticos espirituais, louvando a Deus com gratidão no coração.*

Este versículo recomenda claramente uma variedade de formas musicais – *salmos, hinos e cânticos espirituais*. Sobre o significado dessas expressões, Charles Hodge escreveu: "Os primeiros usos das palavras *psalmos, humnos e ode* parecem ter sido tão livres quanto os nossos termos correspondentes *salmos, hinos e cânticos*. Um salmo era um hino, e um hino era um cântico. Mas havia uma distinção entre eles".[14]

Um salmo equivalia a uma música sagrada escrita para ser acompanhada por instrumento musical. (*Salmos* deriva de um termo que quer dizer "tanger cordas com os dedos".) A palavra era usada para se referir a salmos do Antigo Testamento (cf. Atos 1:20; 13:33), bem como a cânticos cristãos (1Coríntios 14:26).[15] Um *hino* equivalia a um cântico de louvor a Deus, um canto religioso de glória. Um *cântico*, porém, podia ser tanto

---

[13] "Grandioso és tu" seria um excelente exemplo.

[14] HODGE, Charles. *Ephesians*. Edinburgh: Banner of Truth, 1991, reimpressão, p. 302-303.

[15] Os que defendem uma salmodia (o ponto de vista de que nenhuma forma musical deve ser empregada na igreja, a não ser as versões métricas dos salmos do Antigo Testamento), alegam com frequência que a expressão "salmos, hinos e cânticos espirituais" se refere às várias categorias de salmos davídicos na Septuaginta. Contudo, se a intenção do apóstolo fosse *limitar* a música eclesiástica aos salmos veterotestamentários, existem formas muito menos ambíguas às quais ele poderia ter recorrido. Ao contrário, o que ele está recomendando aqui é uma *variedade* de formas musicais – todas empregadas para honrar o Senhor pela admoestação e pelo ensino. A salmodia exclusiva solapa isso ao limitar toda a música eclesiástica a expressões do Antigo Testamento. Se seguirmos esse ponto de vista e não permitirmos que as letras das músicas na igreja vão além dos salmos do Antigo Testamento, então algumas das mais gloriosas verdades no centro de nossa fé – como a encarnação de Cristo, sua morte expiatória na cruz e sua ressurreição – poderiam nunca ser explicitamente descritas ou plenamente expostas em nossa música.

uma música religiosa quanto uma música secular. Então o apóstolo especifica "canções *espirituais*" – cânticos sobre coisas espirituais.

As distinções entre os termos são um tanto nebulosas e, como Hodge indicou, a nebulosidade se reflete no uso moderno dessas palavras. Não obstante, determinar as reais formas dos salmos, hinos e cânticos espirituais não é essencial. De outra forma, as Escrituras teriam registrado essas distinções para nós.

A grande importância da expressão *salmos, hinos e cânticos espirituais* parece ser a seguinte: Paulo estava recomendando uma variedade de formas musicais e uma variada gama de expressões espirituais que não podem ser incorporadas em uma única forma musical qualquer. A opção exclusiva por salmos não permite essa variedade. Essa visão, favorecida pelos reformadores escoceses, ganhou ultimamente popularidade em alguns dos círculos reformados mais estritos. Sem dúvida, isso reflete uma reação adversa à tolice e à superficialidade de tanto cristianismo pós-moderno.

Mas as opiniões dos fundamentalistas/tradicionalistas, que parecem querer limitar a música eclesiástica às formas de músicas *gospel* do início do século 20, também silenciariam a variedade que Paulo pediu. Mais importante, a corrente reinante nas igrejas evangélicas modernas, em que as pessoas parecem querer se empanturrar com nada além de cânticos de louvor simplistas, também destrói o princípio de variedade que Paulo determinou.

Acredito que a comunidade evangélica protestante errou cem anos atrás quando a composição de hinos foi quase completamente abandonada em favor da música *gospel*. A falha não foi adotar um novo estilo. Novamente, a forma *gospel* de fazer música teve um papel legítimo na música eclesiástica. Mas o erro está em deixar de lado uma rica herança de hinos – com a riqueza didática e doutrinária da música cristã que edificou e sustentou tantas gerações.

Estou convencido de que muitos compositores cristãos cometem hoje engano similar ao não comporem hinos substanciais ao mesmo tempo que removem os antigos hinos do repertório musical de nossas congregações e os substituem por corinhos triviais e músicas parecidas com o repertório *pop* secular.

ENSINANDO-VOS E ADMOESTANDO-VOS UNS AOS OUTROS

Os compositores de cânticos de louvor e de outras músicas eclesiásticas modernas muitas vezes se esquecem do papel didático biblicamente ordenado para a música na igreja. A ordem que temos é: *Ensinai e aconselhai uns aos outros com salmos, hinos e cânticos espirituais.* Poucos cânticos de louvor modernos ensinam ou aconselham. Em vez disso, a maioria é escrita apenas para atiçar as emoções. Eles são entoados, em grande parte das vezes, como um mantra místico, com o propósito deliberado de pôr o intelecto em estado passivo enquanto o adorador assimila o máximo de emoção possível. A repetição é construída deliberadamente em muitos cânticos de louvor exatamente com esse propósito.

Examine esta descrição de um culto de louvor típico do século 21:

> A música [...] se limita exclusivamente a cânticos de louvor, com letras projetadas [por um retroprojetor ou um *datashow*], em vez de cantadas dos hinários, de forma que o adorador tenha total liberdade de reagir fisicamente. Cada cântico de louvor se repete várias vezes, *e o único sinal de que estamos indo para o próximo cântico é quando a transparência muda. Não há anúncios* ou comentários falados entre as músicas. De fato, não há um líder de louvor, para que o cantar tenha um senso de espontaneidade.
>
> A música começa devagar e calma e vai progredindo gradual e constantemente num crescendo de 45 minutos. Cada cântico que sucede tem uma carga emocional mais forte que o anterior. Ao longo de 45 minutos, a força emocional da música aumenta a passos quase imperceptíveis desde calma e serena até uma intensidade forte e impulsiva. No começo, todos estão sentados. À medida que o sentimento de fervor aumenta, as pessoas reagem quase instintivamente, primeiro levantando as mãos, depois se levantando, depois se ajoelhando ou caindo prostrados no chão. Ao fim do momento de louvor, metade da congregação está no

chão, vários estirados com a face voltada para o chão e se retorcendo de emoção. A música foi cuidadosa e propositadamente levada a esse intenso ápice emocional. Sente-se que este é todo o propósito do cântico congregacional – elevar as emoções ao máximo de fervor. Quanto mais intenso o sentimento, mais pessoas se convencem de que verdadeiramente "adoraram".

Ainda assim, em meio a isso tudo, não há uma ênfase no conteúdo das músicas. Cantamos sobre "sentir" a presença de Deus entre nós, como se nossas crescentes emoções fossem a principal maneira de confirmar sua presença e a medida de força da sua visitação. Várias das músicas dizem ao Senhor que ele é grande e digno de louvor, mas nenhuma jamais diz realmente por quê. Não importa. O objetivo é claramente despertar nossas emoções, e não focalizar nossos pensamentos num aspecto particular da grandeza de Deus. Na verdade, depois, na pregação, o pastor diz para tomarmos cuidado a fim de não seguirmos nossa cabeça em vez do nosso coração em quaisquer assuntos que tenhamos com Deus.

Em outras palavras, o louvor aqui é intencional e propositadamente anti-intelectual. E a música reflete isso. Embora não haja nada explicitamente errado com nenhum dos cânticos que foram cantados, também não existe nada de substância na maioria deles. São escritos para serem transmissores da paixão, porque a paixão, deliberadamente divorciada do intelecto, é o que define esse conceito de "louvor".[16]

Nem todos os cultos contemporâneos vão tão longe, é claro, mas as tendências mais populares estão seguindo nessa direção. Qualquer coisa um pouco intelectual é automaticamente suspeita, considerada não "louvável" o suficiente, porque a noção claramente reinante de louvor dá pouco ou nenhum lugar ao intelecto. É por isso que, no culto típico, as pregações estão sendo encurtadas e ficando cada vez mais *light*, com mais tempo dedicado à música.

---

[16] Extraídas de notas não publicadas de um amigo que estava pesquisando o crescimento da igreja e estilos de adoração em algumas megaigrejas representativas.

A pregação, que costumava ser o centro do culto de adoração, agora é vista como algo distinto da *adoração*. Algo que realmente se intromete no "momento de louvor e adoração", cujo foco é música, testemunho e oração, mas principalmente música. E música cujo principal propósito é estimular as emoções.

Se a função apropriada da música inclui "ensinar e aconselhar", então a música na igreja deve ser muito mais que um estímulo emocional. Na verdade, a música e a pregação devem ter o mesmo alvo. Ambas pertencem à proclamação da Palavra de Deus. A pregação deve ser vista como uma expressão de nossa adoração. Consequentemente, o compositor deve ser tão hábil nas Escrituras e estar tão preocupado com a precisão teológica quanto o pastor. E ainda mais preocupado, porque as músicas que o compositor escreve provavelmente serão cantadas várias vezes (ao contrário de uma pregação, que é feita apenas uma vez).

Temo que essa perspectiva esteja totalmente perdida entre os músicos crentes comuns de hoje em dia. Como observou Leonard Payton:

> O quadro é tão extremo agora que qualquer um que conhece meia dúzia de acordes num violão e consegue fazer rimas para cartões de lembranças é considerado qualificado para exercer esse componente do ministério da Palavra, independentemente de treinamento e exames teológicos.[17]

Payton afirma que os destacados músicos do Antigo Testamento – Hemã, Asafe e Etã (1Crônicas 15:19) – foram os primeiros dentre todos os sacerdotes levitas, homens que dedicaram a vida ao serviço do Senhor (v. 17), treinados nas Escrituras e hábeis no manejo da Palavra de Deus. Seus nomes estão registrados como autores de alguns dos salmos inspirados (Salmos 73–83; 88:1; 89:1). Payton escreve:

---

[17] PAYTON, Leonard R. "Congregational Singing and the Ministry of the Word". *The Highway*, julho de 1998.

Foi Asafe quem proclamou que Deus é dono do *gado, aos milhares nas montanhas* (Salmos 50:10). Se um músico de uma igreja moderna tivesse escrito uma letra de louvor como o salmo 50, provavelmente não conseguiria publicá-la na indústria de música cristã. E talvez estivesse bem perto de ser demitido da sua igreja. O salmo 88, de Hemã, *é incontestavelmente o mais triste de todos os* salmos. Em suma, músicos levitas escreveram salmos, e esses salmos não foram subjugados às exigências emocionais e gnósticas da música evangélica do século 20.[18]

Em 1Reis 4:31, há uma descrição de que Salomão *era mais sábio do que qualquer homem; mais sábio do que Etã, o ezraíta, e do que Hemã.* Payton observa a importância dessa afirmação:

Se Salomão não tivesse existido, *dois músicos teriam sido os homens mais sábios. Resumidamente, músicos eram professores da mais alta categoria. Isto me leva a pensar que os músicos levitas, tendo sido espalhados pela terra, serviram como* professores de Israel. Mais ainda, Salmos era seu livros-texto. E porque esse livro-texto era um livro de canto, provavelmente os músicos levitas catequizaram a nação de Israel cantando os Salmos. (ênfase no original)[19]

Gostem ou não, os compositores são também professores. Boa parte das letras que eles escrevem se enraizará muito mais profunda e permanentemente na mente dos crentes do que qualquer coisa que pastores ensinem do púlpito. Quantos compositores são hábeis o suficiente em teologia e nas Escrituras para se qualificarem a tal papel fundamental na catequese do nosso povo?

A pergunta é respondida pela falta de expressão encontrada nos cânticos de louvor mais populares – especialmente quando comparados a alguns dos hinos clássicos. Compare a letra de *Shine, Jesus, Shine* [Brilha Jesus] com *O Worship the King, All Glorious Above* [Adorem o Rei, glorioso Senhor]. Ou comparem *Something Beautiful* [Algo belo] com

---

[18] Ibid.
[19] Ibid.

O Sacred Head Now Wounded [Oh, fronte ensanguentada]. Escolho esses exemplos não por ver algo errado ou antibíblico nesses cânticos modernos em particular, mas porque eles são os *melhores* do gênero. Se *o melhor* que os compositores modernos conseguem fazer parece insípido se comparado à música dos nossos ancestrais espirituais, talvez seja apropriado perguntar se a igreja de hoje é culpada coletivamente de amaldiçoar Deus com nossos fracos louvores.

É difícil imaginar outra expressão de louvor mais rala para oferecer a Deus do que *Heavenly Father We Appreciate You* [Pai de amor, gosto tanto de ti]. Mas *Our God is an Awesome God* [Nosso Deus é um grande Deus] chega perto. Em parte porque o adjetivo *awesome* [que pode ser traduzido por "tremendo"] foi pilhado pela presente geração e transformado no elogio preferido para todas as ocasiões, usado em tudo, desde manobras de *skate* até *piercings*. Na boca de um jovem, *Our God is an Awesome God* é equivalente a anunciar como Deus é "maneiro".

Ao menos esse cântico faz uma rápida referência aos atributos de "sabedoria, poder e amor" de Deus, dando razões bíblicas pelas quais ele é grande e digno de louvor. Neste aspecto é melhor que o monte de cânticos modernos que expressam um louvor vago a Deus, mas nunca se dão ao trabalho de mencionar o que há em Deus que o torna merecedor do nosso louvor (e é certamente melhor que outro tipo popular de cânticos, aquele que se concentra quase completamente nos sentimentos do adorador mais que em Deus: "Aqui estou para adorar").

Agora leia a última estrofe de um hino clássico de louvor, *Immortal, Invisible, God Only Wise* [Deus sábio, invisível, imortal]. Depois de detalhar uma substancial lista de atributos divinos, o letrista escreveu:

> És Pai glorioso, és luz a brilhar
> Teus anjos não podem teu rosto mirar
> Mas nós entoamos aqui teu louvor
> E as frontes curvamos, humildes, Senhor. [20]

---

[20] Letra de Walter Chalmers Smith (1824-1908). Smith foi pastor e ocasional moderador da Igreja Livre da Escócia.

Tanto a poesia quanto o sentido são superiores a quase qualquer coisa escrita hoje.

Novamente, minha maior preocupação tem que ver mais com o *conteúdo* que com o *estilo* da música eclesiástica. Mas o estilo e o talento artístico também são importantes. Por que ficamos menos escandalizados quando alguém toca música ruim na igreja que quando alguém pendura um quadro de má qualidade numa galeria? Oferecer músicas de mau gosto a Deus é certamente pior que pendurar uma pintura ruim numa galeria de arte. Não há lugar para a mediocridade em nossa adoração ao Deus Altíssimo. Isso significa que nem todo que quer escrever ou tocar música na igreja deveria ter permissão para fazê-lo. A "arte" de algumas pessoas simplesmente não merece ser exibida.

Os compositores modernos precisam claramente levar suas tarefas mais a sério. As igrejas também devem fazer tudo o que puderem para cultivar músicos que sejam treinados no manuseio das Escrituras e capazes de discernir a sã doutrina. Mais importante ainda, os pastores e presbíteros devem acompanhar mais de perto e com mais cuidado o ministério de música na igreja, fixando conscientemente um padrão elevado para o conteúdo bíblico e doutrinário que cantamos.

Não sou a primeira nem a única pessoa a fazer essas sugestões, é claro, e, em lugares vitais nos quais os líderes da igreja deram ênfase a uma abordagem mais bíblica à adoração e à música, já estamos começando a ver uma dramática diferença de qualidade na música que vem sendo composta para a igreja. Alguns cânticos de louvor verdadeiramente maravilhosos entraram em uso na última década, e podemos estar à beira de um reavivamento da hinologia clássica

Hinos um pouco mais antigos, uma vez esquecidos também foram resgatados nos últimos anos, como *Before the Throne of God Above* [Diante do trono de Deus nas alturas] (1863), de Charitie L. Bancroft. Outros clássicos ganharam renovada popularidade após receberem a renovação por um competente arranjador. Um excepcional exemplo disso é *Halleluja, What a Savior!* [Aleluia! Que Salvador!] (1875), de Phillip Bliss, num arranjo novo, reverentemente suave, de Bob Kauflin.

APÊNDICE: COM O CORAÇÃO, A MENTE E A VOZ

Esses certamente são progressos bem-vindos. Se eles sinalizam um retorno permanente à música de adoração mais substancial, rica em conteúdo e focada na verdade, isso ampliará e reforçará várias outras tendências encorajadoras entre os evangélicos mais jovens. Existem, por exemplo, sinais de novo esforço em compreender corretamente o evangelho, uma nova fome pela pregação expositiva e um novo interesse na comunhão centrada em Cristo. Todas essas coisas estão indissoluvelmente relacionadas à adoração e permanecerão ou cairão juntas.

A mensagem central deste livro, claro, é que a nossa adoração a Deus envolva muito mais que apenas o que cantamos na igreja. No entanto, o que e como cantamos é um dos melhores termômetros de nossa adoração. Se formos autênticos adoradores que louvam a Deus em espírito e em verdade, isso deve estar óbvio em nossa música.

Minha oração com relação a isso é a mesma do salmista. Espero que seja a sua também:

As palavras da minha boca e a meditação do meu coração sejam agradáveis na tua presença, SENHOR, minha rocha e meu redentor! (Salmos 19:14).

Sua opinião é importante para nós.
Por gentileza, envie-nos seus comentários pelo e-mail:

editorial@hagnos.com.br

Visite nosso site:

www.hagnos.com.br